Woodstock Public Library

Le
Livre
de
Poche

Jeunesse

WITHDRAWN

WOODSTOCK PUBLIC LIBRARY

D1472541

Woodstock Public Library

Jeunesse

WITHDRAWN
WOODSTOCK PUBLIC LIBRARY

STORMBREAKER

Du MÊME AUTEUR DANS
Le Livre de Poche Jeunesse

Satanée grand-mère !
Le diable et son valet

Série policière : Les Frères Diamant
Tome 1. Le Faucon malté
Tome 2. L'ennemi public n° 2
Tome 3. Devine qui vient tuer ?

Série fantastique : Les aventures de David Eliot
Tome 1. L'île du crâne
Tome 2. Maudit Graal

Série fantastique : Les Cinq contre les Anciens
Tome 1. Les portes du diable
Tome 2. La nuit du scorpion
Tome 3. La citadelle d'argent
Tome 4. Le jour du dragon

Mortel chassé-croisé

Vertige policier

Signé Frédéric K. Bower

Côté Court

Pagaille à Paris (une aventure des Frères Diamant)
L'auto-stoppeur

Hors série

Destination horreur

Les aventures d'Alex Rider

Tome 1. Stormbreaker
Tome 2. Pointe Blanche
Tome 3. Skeleton Key
L'île de tous les dangers
Tome 4. Jeu de tueur

ANTHONY HOROWITZ

STORMBREAKER

Alex Rider, quatorze ans, espion malgré lui

Traduit de l'anglais par Annick Le Goyat

Couverture illustrée par Henri Galeron
Silhouette de couverture dessinée par Phil Schramm.
Reproduite avec l'autorisation de Walker Books.

*Cet ouvrage a paru en langue anglaise
chez Walker Books (Londres)
sous le titre :
STORMBREAKER*

© Anthony Horowitz, 2000.
© Hachette Livre, 2001 et 2003 pour la présente édition
43, quai de Grenelle, 75015 Paris.

1

Des voix d'enterrement

Quand on sonne à votre porte à trois heures du matin, ce n'est jamais bon signe.

Alex Rider s'éveilla à la première sonnerie. Il ouvrit les yeux mais resta un moment totalement immobile dans son lit, étendu sur le dos. Il entendit la porte d'une chambre s'ouvrir puis une marche craquer dans l'escalier. La sonnette carillonna une deuxième fois et il regarda la pendulette lumineuse sur sa table de nuit. Trois heures deux minutes. Ensuite il reconnut le cliquetis de la chaînette de sécurité de la porte d'entrée.

Il se leva et s'approcha de la fenêtre, pieds nus sur la moquette épaisse. Il ouvrit la fenêtre sans bruit. Le clair de lune enveloppa sa tête et son torse. Alex avait quatorze ans. Il était grand et athlétique pour son âge. Il avait des cheveux blonds et courts, avec deux mèches qui lui tombaient sur le front. Des yeux bruns et graves. Il observa la rue en silence. Une voiture de police était garée devant la maison. De sa fenêtre du premier étage, il distingua le numéro d'identification noir peint sur le toit du véhicule et les casquettes des deux hommes debout devant l'entrée. La lumière extérieure du perron s'alluma en même temps que la porte s'ouvrait.

« Madame Rider ?

— Non. Je suis la gouvernante. Qu'y a-t-il ? Qu'est-il arrivé ?

— C'est bien la maison de M. Ian Rider ?

— Oui.

— Pouvons-nous entrer ? »

Alex avait déjà compris. À l'attitude gênée et compassée des policiers, mais aussi au ton de leurs voix. Des voix d'enterrement. C'est ainsi qu'il les décrirait plus tard. Le genre de voix que les gens prennent quand ils viennent vous annoncer la mort d'un proche.

Il alla ouvrir la porte de sa chambre. Les paroles des deux policiers dans le hall lui parvenaient par bribes.

« ... accident de voiture... une ambulance... soins intensifs... rien à faire... désolé. »

C'est seulement quelques heures plus tard, alors qu'il était assis dans la cuisine et regardait la lumière grisâtre du petit matin investir lentement les rues des quartiers ouest de Londres, qu'Alex essaya de reconstituer les événements de la nuit. Son oncle, Ian Rider, était mort. Alors qu'il rentrait chez lui, sa voiture avait été percutée par un camion au rond-point d'Old Street et il avait été tué sur le coup. Selon la police, il ne portait pas de ceinture de sécurité. Sinon, peut-être aurait-il eu une chance de s'en sortir.

Alex songea à l'homme qui, aussi loin que remontaient ses souvenirs, était son unique famille. Alex n'avait pas connu ses parents, morts quelques semaines après sa naissance, dans un accident eux aussi, mais un accident d'avion. Élevé par le frère de son père (qu'il n'avait jamais appelé « oncle » ni « tonton » car Ian Rider détestait cela), il avait passé la majeure partie de ses quatorze années dans la même maison, à Londres, dans le quartier de Chelsea, entre King's Road et la Tamise. Il s'apercevait seulement aujourd'hui combien il connaissait peu son oncle.

Un banquier. Les gens disaient qu'Alex lui ressemblait beaucoup. Ian Rider était toujours en voyage. Un homme tranquille et discret, qui aimait le bon vin, la musique classique et les livres. Un homme qui, apparemment, n'avait pas de petite amie. Ni d'amis, d'ailleurs. Il entretenait sa forme physique, ne fumait pas et portait des vêtements de luxe. Point. C'était peu. Ce n'était pas le tableau d'une vie. Tout juste un croquis.

« Ça va, Alex ? »

Une jeune femme venait d'entrer dans la cuisine. Environ vingt-huit ans, une épaisse chevelure rousse, un visage rond et enfantin. Jack Starbright était américaine. Venue à Londres pour faire ses études sept ans plus tôt, elle avait loué une chambre dans la maison de Ian – en échange de menus travaux domestiques et de quelques heures de baby-sitting –, et elle était restée ensuite

9

comme gouvernante. C'était l'une des meilleures amies d'Alex. Il se demandait parfois de quel prénom Jack était le diminutif. Jacquie ? Jacqueline ? Ni l'un ni l'autre ne lui convenait, et elle ne lui avait pas répondu lorsqu'il lui avait posé la question.

Alex hocha la tête.

« Que va-t-il arriver, à ton avis ? demanda-t-il à Jack.

— À propos de quoi ?

— La maison. Moi. Toi.

— Je ne sais pas, dit Jack en haussant les épaules. Je suppose que Ian a fait un testament. Il a sûrement laissé ses instructions dans son bureau.

— On devrait peut-être aller jeter un coup d'œil.

— Oui, mais pas aujourd'hui, Alex. Chaque chose en son temps. »

Le bureau de Ian occupait tout le dernier étage. C'était la seule pièce toujours fermée à clé. Alex n'y était entré que trois ou quatre fois, et jamais seul. Étant petit, il imaginait qu'il y avait là-haut des choses bizarres : une machine à remonter le temps ou un OVNI. Mais ce n'était qu'une pièce de travail avec un bureau, quelques classeurs de rangement, des étagères remplies de papiers et de livres. Des dossiers concernant la banque, disait Ian. Néanmoins Alex avait très envie d'y monter maintenant. Sans doute parce qu'il n'en avait jamais eu l'autorisation.

« La police a affirmé que Ian n'avait pas mis sa ceinture de sécurité, dit-il.

— Oui, c'est ce qu'ils ont expliqué.

— Ça ne te paraît pas bizarre ? Tu sais comme il était

prudent. Il mettait toujours sa ceinture. Et il ne m'aurait pas conduit au coin de la rue sans m'obliger à mettre la mienne. »

Jack réfléchit un instant, puis haussa les épaules.

« Oui, c'est bizarre. Mais ce doit être la vérité. Je ne vois pas pourquoi la police aurait menti. »

La journée s'étira. Alex n'alla pas à l'école et, pourtant, il en avait secrètement envie. Il aurait préféré fuir dans la vie normale – le son métallique de la sonnerie, la foule des visages familiers – plutôt que de rester là, coincé dans la maison. Mais on attendait des visiteurs.

Il y en eut cinq. Un notaire, qui ne savait rien au sujet d'un éventuel testament mais semblait avoir été chargé d'organiser les obsèques. Un entrepreneur de pompes funèbres, qui avait été recommandé par le notaire. Un prêtre, grand et vieux, qui paraissait dépité qu'Alex n'ait pas l'air plus affligé. La voisine d'en face, dont on ignorait comment elle avait appris le drame. Et enfin un représentant de la banque.

« Tout le personnel de la Royale & Générale est bouleversé », assura-t-il.

L'homme avait une trentaine d'années et portait un costume en polyester avec une cravate de chez Marks & Spencer. Il avait le genre de visage que l'on oublie même pendant qu'on le regarde, et s'était présenté sous le nom de Crawley, du service du personnel.

« S'il y a quoi que ce soit que nous puissions faire...

— Que va-t-il se passer ? questionna Alex pour la deuxième fois de la journée.

« — Vous n'avez rien à craindre, répondit Crawley. La banque se charge de tout. C'est mon travail. Laissez-moi faire. »

La journée s'acheva. Alex tua deux heures sur sa console Nintendo 64, et eut un peu honte d'être surpris par Jack en train de jouer. Mais que pouvait-il faire d'autre ? Un peu plus tard, Jack l'emmena au *Burger King.* Il était ravi de sortir de la maison, mais ils parlèrent à peine. Alex supposait qu'elle allait repartir aux États-Unis. Elle ne pourrait pas rester à Londres indéfiniment. Mais alors qui s'occuperait de lui ? Selon la loi, il était trop jeune pour vivre seul. Son avenir apparaissait tellement incertain qu'il préférait ne pas en discuter. Il préférait ne rien dire du tout.

Le jour des obsèques, Alex se retrouva vêtu d'une veste noire, prêt à monter dans une voiture venue d'on ne savait où, entouré de gens qu'il n'avait jamais vus. Ian Rider serait enterré au cimetière Brompton de Fulham Road, qui bordait le terrain de football de Chelsea. Alex savait sur lequel des deux terrains il aurait préféré être, ce mercredi après-midi. Une trentaine de personnes étaient là, mais il n'en connaissait quasiment aucune. Une tombe avait été creusée près de l'allée qui parcourait toute la longueur du cimetière et, lorsque le service funèbre commença, une Rolls-Royce noire approcha et se gara. La portière arrière s'ouvrit et un homme descendit. Alex l'observa avancer et s'arrêter. Dans le ciel, un avion qui se préparait à atterrir à Heathrow cacha momentanément le soleil. Il frissonna.

Quelque chose chez le nouvel arrivant lui donnait la chair de poule.

Pourtant l'homme était des plus ordinaires. Costume gris, cheveux gris, lèvres grises, yeux gris. Son visage était inexpressif, et son regard, derrière les lunettes à monture gris acier, parfaitement neutre. Qui qu'il soit, cet homme semblait moins vivant que toutes les personnes présentes dans le cimetière, sur terre ou en dessous.

Quelqu'un tapota l'épaule d'Alex. Il se retourna et vit M. Crawley qui se penchait vers lui.

« Voici M. Blunt, le président de notre banque », lui chuchota-t-il à l'oreille.

Le regard d'Alex passa de M. Blunt à la Rolls-Royce. Deux autres hommes l'accompagnaient, dont le chauffeur. Ils portaient des costumes identiques et, malgré le temps maussade, des lunettes de soleil. Tous deux observaient les obsèques du même air renfrogné. Alex revint à Blunt, puis à tous ces étrangers. Avaient-ils réellement connu Ian Rider ? Pourquoi ne les avait-il jamais rencontrés ? Et pourquoi avait-il tant de mal à croire que ces gens travaillaient dans une banque ?

« ... un homme courageux, un patriote. Un homme regretté de tous. »

Le prêtre avait terminé son oraison funèbre. Ses dernières paroles saisirent Alex. Un patriote ? Cela signifiait qu'il aimait son pays. Pourtant, à sa connaissance, Ian Rider avait passé extrêmement peu de temps en Angleterre. En tout cas, il n'était pas du genre à brandir le drapeau national. Il se retourna pour chercher

Jack des yeux, mais ce fut Blunt qui avança vers lui, en contournant prudemment le caveau.

« Vous devez être Alex. »

Le président de la banque était à peine plus grand que lui. De près, sa peau paraissait étrangement peu naturelle. On aurait dit du plastique.

« Mon nom est Alan Blunt. Votre oncle parlait souvent de vous.

— C'est drôle, rétorqua-t-il. Il n'a jamais mentionné votre nom. »

Les lèvres grises se crispèrent légèrement.

« Il nous manquera beaucoup. C'était un homme bon.

— Bon en quoi ? questionna Alex. Il ne parlait jamais de son travail. »

Tout à coup Crawley surgit à côté d'eux et répondit :

« Votre oncle était directeur financier du service international, Alex. Il s'occupait de toutes nos filiales de l'étranger. Vous deviez sûrement le savoir.

— Je sais qu'il voyageait beaucoup. Et je sais aussi qu'il était très prudent. Pour des choses comme la ceinture de sécurité, par exemple.

— Malheureusement, cette fois, il n'a pas été assez prudent. »

Les yeux de Blunt, grossis par les verres épais de ses lunettes, scrutèrent si intensément ceux d'Alex que, l'espace d'un instant, il se sentit épinglé comme un insecte sous un microscope.

« J'espère que nous nous reverrons, Alex », poursuivit-il.

Il se tapota la joue de son index gris.

« Oui, je l'espère... »

Puis il tourna les talons et regagna sa voiture.

C'est au moment où Alan Blunt allait monter dans la Rolls-Royce que la chose se produisit. Le chauffeur se pencha pour lui tenir la portière et sa veste s'ouvrit, révélant sa chemise. Mais pas seulement la chemise. Le chauffeur portait un baudrier en cuir avec un pistolet automatique. Il rabattit vivement sa veste, mais Alex eut le temps de l'apercevoir. Blunt aussi. Celui-ci se retourna et croisa le regard d'Alex. Quelque chose qui ressemblait à une émotion apparut sur son visage. Puis il s'assit dans la voiture, la portière claqua, et ils partirent.

Une arme à un enterrement. Pourquoi ? Pourquoi des banquiers seraient-ils armés ?

« Allons-nous-en, dit Jack, qui avait rejoint Alex. Les cimetières me donnent la chair de poule.

— À moi aussi. Et pas seulement les cimetières. »

Ils s'éclipsèrent en silence et rentrèrent à la maison. La voiture qui les avait amenés les attendait mais ils préférèrent marcher. Il leur fallut une quinzaine de minutes. En tournant l'angle de la rue, Alex remarqua un camion de déménagement, sur lequel était inscrit : « Stryker & fils », garé devant la maison.

« Qu'est-ce qui se passe... ? »

Au même moment, le camion démarra sur les chapeaux de roues.

Alex ne dit rien pendant que Jack ouvrait la porte, mais il profita du fait qu'elle allait à la cuisine préparer du thé pour inspecter rapidement la maison. Une lettre qui se trouvait sur la table du vestibule avant leur départ était maintenant sur le tapis. Une porte précédemment entrebâillée était fermée. Des détails infimes, mais qui n'échappèrent pas à Alex. Quelqu'un était entré. Il en avait la quasi-certitude.

Il en eut la confirmation au dernier étage. La porte du bureau habituellement fermée à clé ne l'était plus. Il l'ouvrit et entra. La pièce était vide. Ian Rider avait disparu, et toutes ses affaires avec lui. Les tiroirs du bureau, les armoires, les étagères... tout ce qui aurait pu donner des renseignements sur le défunt avait été emporté.

« Alex... ! » appela Jack.

Il jeta un dernier coup d'œil à la pièce interdite, en s'interrogeant à nouveau sur la personnalité de l'homme qui y avait travaillé. Puis il ferma la porte et redescendit.

2

Au paradis des voitures

En arrivant à vélo devant le pont de Hammersmith, Alex quitta la rive de la Tamise et tourna au feu tricolore pour descendre vers le collège Brookland. Son vélo était un Condor Junior Roadracer fabriqué sur mesure à l'occasion de son douzième anniversaire. C'était un modèle junior, avec un cadre Reynolds 531 diminué mais équipé de roues de taille normale, ce qui lui permettait d'aller à pleine vitesse sans aucune résistance au roulement. Il dépassa une Mini et franchit les grilles de l'école. Il appréhendait déjà le moment où il serait trop grand pour utiliser son vélo. Depuis deux ans celui-ci faisait partie de lui-même.

Alex l'attacha à l'intérieur du hangar à vélos et entra dans la cour de l'école. Brookland était un établissement secondaire tout neuf, construit en brique rouge et en verre, moderne et laid. Il aurait pu fréquenter n'importe quel collège privé très chic du quartier de Chelsea, mais Ian Rider avait préféré l'envoyer ici. Il affirmait que ce serait un défi plus difficile à relever.

Le premier cours de la journée était un cours de maths. Quand Alex entra dans la classe, le professeur, M. Donovan, était déjà en train de griffonner à la craie une équation alambiquée sur le tableau. Il faisait chaud dans la salle, le soleil pénétrait à flots par les baies vitrées conçues par des architectes qui avaient cruellement manqué de bon sens. En s'asseyant à sa place, dans le fond, il se demanda comment il allait supporter le cours. Comment se concentrer sur des problèmes d'algèbre quand tant d'autres l'obsédaient ?

Le pistolet automatique aux obsèques de Ian. Le regard que Blunt lui avait lancé. Le camion de déménagement Stryker & fils. Le bureau de son oncle entièrement vidé. Et, le plus important de tout, le détail qu'il ne pouvait chasser de son esprit : la ceinture de sécurité que Ian avait négligé de mettre.

Bien sûr que si, il avait attaché sa ceinture !

Ian n'était pas homme à donner des leçons. Il répétait sans cesse qu'Alex devait se faire son idée personnelle des choses. Mais, en ce qui concernait la ceinture de sécurité, c'était un vrai maniaque. Plus Alex y réfléchissait, plus il était sceptique. Une collision à un rond-point, disait le rapport de police. Subitement il eut envie d'examiner la voiture. L'épave lui apprendrait comment l'accident s'était réellement produit, et si Ian Rider était vraiment mort comme on l'affirmait.

« Alex ? »

Il leva la tête et s'aperçut que tout le monde le fixait. M. Donovan venait de lui poser une question. Il regarda rapidement le tableau, enregistra les équations, et répondit :

« Oui, monsieur, x égale sept et y égale quinze. »

Le professeur poussa un soupir.

« C'est exact, Alex. Tu as absolument raison. Mais je te demandais simplement d'ouvrir la fenêtre. »

La journée s'écoula tant bien que mal mais, lorsque la sonnerie retentit, sa décision était prise. Alors que tous les élèves gagnaient la sortie, Alex se rendit au secrétariat et emprunta l'annuaire des Pages Jaunes.

« Qu'est-ce que tu cherches ? » demanda la secrétaire.

Jane Bedfordshire était une jeune femme d'une vingtaine d'années, qui avait toujours eu un faible pour lui.

« Les casses de voitures..., dit-il en feuilletant l'annuaire. Si une voiture est accidentée près d'Old Street, normalement on devrait la remorquer quelque part à proximité, non ?

— Je suppose.

— Voilà... »

Il avait trouvé la liste sous la rubrique : « Automobiles, récupération et démolition ». Mais il y en avait des dizaines sur quatre pages.

« C'est pour un exposé ? » s'enquit la secrétaire.

Elle savait qu'Alex avait perdu un proche parent, mais elle ignorait dans quelles circonstances.

« Plus ou moins. »

Aucune adresse n'évoquait quelque chose à Alex.

« Celle-ci se trouve près d'Old Street, observa Jane Bedfordshire en pointant un encart publicitaire sur le coin d'une page.

— Attendez ! » Il sursauta en lisant l'encadré qui se trouvait sous celui qu'elle lui indiquait :

J.B. STRYKER
Au paradis des voitures...
J.B. Stryker, casse automobile
Lambeth Walk, Londres
Tél : 020 7123 5392
...n'hésitez pas à nous appeler !

« C'est à Vauxhall, dit la secrétaire. Pas très loin d'ici.

— Je sais. »

Mais Alex avait reconnu le nom. J.B. Stryker. Le même que celui du camion de déménagement aperçu devant sa maison le jour des obsèques. Stryker & fils. Bien entendu il pouvait s'agir d'une simple coïncidence, mais c'était quand même un point de départ. Il ferma l'annuaire.

« À bientôt, mademoiselle Bedfordshire.

— Attention à toi. »

La secrétaire le regarda partir en se demandant pourquoi elle lui avait dit ça. Peut-être à cause de son regard. Sombre et grave, avec une lueur dangereuse. Puis le téléphona sonna. Jane Bedfordshire oublia Alex et se remit au travail.

20

La casse automobile J.B. Stryker occupait un terrain vague derrière les voies ferrées de la gare Waterloo. L'endroit était entouré d'un haut mur de brique, hérissé de verre brisé et de barbelés. Le large portail en bois était ouvert. Du trottoir d'en face, Alex aperçut une cabane protégée par une vitre de sécurité et, derrière, les piles branlantes des épaves. Tout ce qui avait la moindre valeur en avait été enlevé, et seules subsistaient les carcasses rouillées, entassées les unes sur les autres, qui attendaient de nourrir le broyeur.

Un gardien était assis dans la cabane, en train de lire un journal. Au loin, une grue se mit en mouvement avec un hoquet, puis s'abattit en rugissant sur une Ford défoncée. Les griffes d'acier transpercèrent les vitres pour soulever le véhicule et l'emporter. Un téléphone sonna dans la cabane et le gardien se retourna pour décrocher. Alex saisit l'occasion. Il courut en tenant sa bicyclette à côté de lui et franchit le portail.

Il se retrouva au milieu d'un fatras de rebuts crasseux. L'odeur de gasoil imprégnait l'air, et le bruit des machines était assourdissant. Il regarda la grue descendre sur une autre voiture, la saisir dans sa pince métallique et la lâcher dans le broyeur. Pendant un instant le véhicule resta en équilibre sur deux volets métalliques. Puis ceux-ci se soulevèrent et la voiture bascula dans la fosse. Le conducteur de l'engin, assis dans une cabine vitrée à une extrémité du broyeur, pressa un bouton et une grosse bouffée de fumée noire s'éleva. Les volets se refermèrent sur la voiture comme un insecte monstrueux repliant ses ailes. Il y eut un long fracas métallique, jusqu'à ce qu'elle soit réduite à la taille d'un tapis roulé. Ensuite le conducteur actionna une autre manette et la carcasse fut recrachée comme de la pâte dentifrice puis débitée par une lame cachée. Les tranches dégringolèrent sur le sol.

Après avoir laissé son vélo contre le mur, Alex se mit à courir en s'accroupissant derrière les épaves. Avec le vacarme des machines, il y avait peu de risques que quelqu'un l'entende, mais il craignait d'être vu. Il s'arrêta pour reprendre son souffle et se passa une main sale sur le visage. Les vapeurs de gasoil lui embuaient les yeux. L'air était aussi encrassé que le sol.

Il commençait à regretter d'être venu mais, tout à coup, il la vit. La BMW de Ian Rider était garée à quelques mètres, à l'écart des autres véhicules. À première vue elle paraissait en parfait état, la peinture gris métallisé n'avait pas une égratignure. Il était inimaginable qu'elle ait subi une collision fatale avec un camion ou n'importe quel autre véhicule. Pourtant c'était bien la voiture de son oncle. Alex reconnut le numéro minéralogique. Il s'en approcha rapidement et découvrit alors que, en effet, elle avait subi des dommages. Le pare-brise avait volé en éclats, ainsi que toutes les vitres d'un côté. Il contourna le capot. Et se figea.

Ian Rider n'avait pas été tué dans un accident. La cause de sa mort était parfaitement évidente, même pour un idiot. Une rafale de balles avait transpercé la carrosserie du côté du volant, éclaté le pneu avant, fracassé le pare-brise et les vitres, perforé les flancs. Alex effleura les trous du bout des doigts. Le métal lui parut glacial. Il ouvrit la portière pour regarder à l'intérieur. Les sièges avant en cuir gris pâle étaient jonchés de petits éclats de verre et maculés de taches brun sombre. Inutile de demander de quelle nature étaient ces taches. Il n'avait aucune peine à tout imaginer. L'éclair de la mitraillette, les balles criblant la voiture, Ian Rider secoué de soubresauts sur son siège...

Mais pourquoi ? Pourquoi tuer un directeur de banque ? Et pourquoi dissimuler le meurtre ? Puisque c'étaient les policiers qui étaient venus annoncer l'accident, ils devaient être dans le coup. Leur mensonge était-il délibéré ? Tout cela n'avait aucun sens.

« Vous auriez dû vous en débarrasser il y a deux jours. Faites-le maintenant. »

Les engins avaient dû s'arrêter depuis quelques minutes. Sans cette pause soudaine, jamais Alex n'aurait entendu les hommes approcher. Il jeta un rapide coup d'œil par-dessus le volant, de l'autre côté de la voiture. Ils étaient deux, vêtus d'amples bleus de travail. Il eut l'impression d'avoir déjà vu l'un d'eux quelque part. À l'enterrement de Ian. C'était le conducteur de la Rolls-Royce, l'homme au pistolet. Il en était sûr.

Qui que soient ces deux hommes, ils se trouvaient à peine à quelques mètres de la BMW et parlaient à voix basse. Encore quelques pas et ils seraient là. Sans réfléchir, Alex se jeta dans la seule cachette disponible : l'intérieur de la voiture. Du bout du pied il crocheta la portière et la ferma doucement. Au même instant il se rendit compte que les engins s'étaient remis en route et qu'il n'entendait plus les hommes discuter. Il n'osa pas redresser la tête pour jeter un coup d'œil. Il fit plus sombre dans la voiture quand ils passèrent devant. Puis ils s'en allèrent. Il était sauvé.

C'est alors que quelque chose heurta la BMW avec une violence telle qu'Alex poussa un cri, tout son corps ébranlé par une secousse brutale qui l'arracha au siège avant et le projeta à l'arrière. Au même instant le plafond se gondola et trois énormes doigts de métal transpercèrent la carrosserie comme les dents d'une fourchette à travers une coquille d'œuf. La poussière et le soleil s'infiltrèrent dans l'habitacle. L'un des doigts lui érafla la tête : un peu plus près et il aurait eu le crâne fendu. Il poussa un cri en voyant du sang lui couler sur l'œil. Il voulut bouger, mais fut projeté une nouvelle fois en arrière : la voiture avait été arrachée de terre et se balançait dans le vide.

Alex ne pouvait rien voir. Ni bouger. Son estomac se souleva : la voiture décrivit un arc de cercle dans un horrible grincement de métal et un tourbillon de lumière. La grue qui l'avait empoignée allait la déposer dans le broyeur. Avec Alex.

Il tenta de se lever pour se faufiler par la fenêtre, mais le toit écrasé par la grue lui coinçait la jambe gauche. Peut-être même était-elle cassée. Il ne sentait plus rien. Il essaya de donner des coups de poing contre la vitre arrière, mais le verre résista. Même si les ouvriers regardaient la BMW, ils ne pouvaient pas voir ce qui se passait à l'intérieur.

Le court envol au-dessus du terrain s'acheva dans un fracas de tôles lorsque la grue déposa la voiture sur les volets du broyeur. Alex essaya de refouler sa nausée et son affolement pour réfléchir. Quelques minutes plus tôt il avait assisté à la compression d'un véhicule. D'une seconde à l'autre, la BMW serait à son tour avalée par la machine, laquelle fonctionnait comme une sorte de guillotine au ralenti. Un bouton pressé, et les deux volets d'acier allaient se refermer sur la voiture et l'écraser sous une masse de cinq cents tonnes. La BMW serait écrabouillée, et Alex avec. Ferraille et chair humaine seraient ensuite débitées en petits morceaux. Et personne n'en saurait jamais rien.

Il essaya de toutes ses forces de se dégager. Mais le toit était trop aplati. Sa jambe et une partie de son dos étaient bloqués. Soudain, l'univers clos dans lequel il se trouvait s'inclina et il se sentit sombrer dans les ténèbres. Les volets du broyeur s'étaient levés. La BMW glissa sur un côté et tomba de quelques mètres dans la fosse. Toute la carrosserie fut enfoncée. La vitre arrière explosa et les éclats de verre retombèrent en pluie sur Alex. La poussière et les vapeurs de gasoil lui brûlaient le nez et les yeux. Il y avait très peu de lumière mais, en regardant derrière, il pouvait voir l'énorme tête du piston qui allait pousser ce qui restait de la voiture dans l'orifice de sortie, de l'autre côté.

Le rugissement de l'engin changea de registre à l'approche du processus final. Les volets de métal frémirent. D'ici quelques secondes, ils allaient se rapprocher, se rencontrer, écraser la BMW comme un sac de papier.

Alex tira de toutes ses forces et fut étonné de voir sa

jambe se libérer. Il lui fallut une seconde – une seconde très précieuse – pour reprendre ses esprits et évaluer la situation. En tombant dans la fosse, la voiture avait atterri sur le flanc et le toit s'était gondolé dans l'autre sens, suffisamment pour libérer sa jambe. Il tenta d'ouvrir la portière, mais bien sûr c'était inutile. La tôle était trop pliée. Jamais elle ne s'ouvrirait. La glace arrière ! La vitre étant cassée, il pouvait s'y faufiler en rampant. Mais vite....

Les volets se mirent en branle. Les deux parois d'acier commencèrent à écraser la BMW dans un vacarme effroyable. Le verre vola en éclats. L'un des essieux des roues claqua avec un bruit de tonnerre. Tout devint noir. Alex prit appui sur ce qui restait de la banquette arrière. Devant lui il entrevoyait un unique triangle de lumière, qui diminuait de plus en plus vite. De toutes ses forces, il se propulsa en avant et parvint à trouver une prise. Il sentait la pression des deux parois d'acier. Derrière lui, la voiture n'en était plus une, mais le poing de quelque monstre hideux cherchant à happer l'insecte qu'il était devenu.

Ses épaules sortirent par le triangle et il déboucha dans la lumière, mais ses jambes étaient encore à l'intérieur du broyeur. Il risquait d'être débité en deux morceaux. Il poussa un hurlement et releva un genou, puis l'autre. Ses jambes se libérèrent mais, au dernier moment, l'une de ses chaussures resta bloquée dans le triangle qui se refermait et disparut avec la voiture. Alex eut l'impression d'entendre le cri du cuir qu'on écrasait, mais évidemment c'était insensé. Agrippé à la surface noire et huileuse de la plate-forme d'observation, à l'arrière du broyeur, il parvint à faire un rétablissement et se redressa.

Là, il se trouva nez à nez avec un bonhomme tellement obèse que c'est à peine s'il arrivait à se caser dans la petite cabine du broyeur. Son estomac était pressé contre la vitre, ses épaules tassées dans les angles. Bouche bée, une cigarette pendant sur sa lèvre inférieure, les yeux écarquillés, il vit surgir devant lui un garçon vêtu des lambeaux de ce qui avait autrefois été un uniforme de collégien, avec une manche totalement arrachée qui pendait mollement, et le bras maculé de sang et d'huile noire. Le temps que le conducteur ait repris ses esprits et coupé le moteur de la machine, Alex avait filé.

Il se laissa glisser le long du broyeur et atterrit sur son unique pied chaussé. Il avait conscience du nombre de bouts de ferraille hachée qui jonchaient le sol. S'il ne prenait pas garde, il risquait de s'ouvrir le pied. Sa bicyclette était là où il l'avait laissée, contre le mur. Il s'en approcha avec précaution, en boitillant. Dans son dos il entendit s'ouvrir la cabine du broyeur et le cri de l'homme qui donnait l'alarme. Au même instant, un second homme arriva en courant, s'interposant entre Alex et sa bicyclette. C'était le chauffeur aperçu aux funérailles de Ian. Son visage déformé par une grimace hostile était étrangement laid. Des cheveux graisseux, des yeux humides, une peau blafarde et sans vie.

« Qu'est-ce que tu fiches ici... ? » brailla-t-il en plongeant la main sous sa veste.

Alex se souvint du pistolet automatique et, tout à coup, sans même réfléchir, il entra en action.

Il avait commencé à apprendre le karaté à l'âge de six ans. Un beau jour, sans explication, Ian Rider l'avait conduit au club du quartier pour sa première leçon, et depuis lors il s'y rendait une fois par semaine. Au cours des années il avait franchi les différents *kyu*, les grades d'apprentissage allant de la ceinture blanche à la ceinture marron. Mais c'était seulement l'année précédente qu'il avait obtenu sa ceinture noire premier *dan*. À son arrivée au collège de Brookland, son allure et sa manière de parler avaient très vite attiré sur lui l'attention des durs de l'école : trois brutes de seize ans. Un jour, ils l'avaient coincé derrière le hangar à vélos. La rencontre avait duré moins d'une minute. Après quoi l'un des durs avait quitté Brookland, et les deux autres n'avaient plus jamais embêté personne.

Alex leva une jambe, fit pivoter son corps et lança une ruade. Le coup de pied arrière – *ushiro-geri* – est considéré comme le coup le plus mortel du karaté. Son pied percuta l'abdomen de l'homme avec une force telle qu'il n'eut même pas le temps de crier. Ses yeux parurent lui sortir de la tête et il ouvrit la bouche de surprise. Puis, la main toujours glissée sous sa veste, il s'écroula.

Alex l'enjamba d'un bond, prit sa bicyclette et l'enfourcha. Au loin, un troisième homme accourait. Il l'entendit crier : « Stop ! » puis il perçut un claquement et le sifflement d'une balle. Il s'agrippa au guidon et appuya aussi fort qu'il le put sur les pédales. La bicyclette bondit, roula sur divers débris, et franchit le portail. Il jeta un rapide coup d'œil par-dessus son épaule. Personne ne l'avait suivi.

Un pied chaussé et l'autre non, ses vêtements en lambeaux, le corps maculé de sang et d'huile, Alex savait qu'il devait avoir une apparence plutôt bizarre. Mais en se remémorant ses dernières minutes à l'intérieur du broyeur, il poussa un soupir de soulagement. Son apparence aurait pu être bien pire !

3

Royale & Générale

La banque téléphona le lendemain.

« Ici John Crawley. Vous vous souvenez de moi, Alex ? Je suis le directeur du personnel de la Banque Royale & Générale. Vous serait-il possible de venir nous voir ?

— À la banque ? »

Alex était à moitié habillé et déjà en retard pour l'école.

« Cet après-midi. Nous avons trouvé des papiers appartenant à votre oncle. Et nous voudrions vous parler de... votre situation personnelle. »

Il crut percevoir une menace voilée derrière la voix de Crawley. Simple impression ?

« À quelle heure, cet après-midi ?

— Quatre heures et demie, cela vous convient-il ?

Nous sommes à Liverpool Street. Nous pouvons vous envoyer un taxi...

— Je serai là, coupa Alex. Je viendrai en métro. »

Il raccrocha.

« Qui était-ce ? » cria Jack de la cuisine.

Elle préparait leur petit déjeuner à tous les deux. Mais pour combien de temps encore ? La question angoissait Alex chaque jour davantage. Jack n'avait pas touché son salaire. Elle n'avait que son argent personnel pour faire les courses et entretenir la maison. Pire encore, son visa arrivait à expiration. Bientôt elle ne pourrait plus rester dans le pays.

« C'était la banque », dit-il en la rejoignant dans la cuisine, vêtu de son uniforme de rechange.

Il n'avait pas raconté à Jack ses mésaventures de la veille à la casse automobile. Il ne lui avait même pas parlé du bureau vidé de Ian. Elle avait déjà bien assez de soucis.

« Je dois y passer cet après-midi.

— Tu veux que je t'accompagne ? offrit-elle.

— Non, ce n'est pas la peine. »

Alex sortit de la station de métro Liverpool Street juste après seize heures quinze, toujours revêtu de son uniforme : veste bleu sombre, pantalon gris, cravate rayée. Il trouva la Banque Royale & Générale sans difficulté. Elle occupait un grand immeuble ancien, sur lequel l'Union Jack[1] flottait au quinzième étage. Une plaque de bronze était placardée à l'entrée, non loin

---

1. Drapeau britannique.

d'une caméra de surveillance qui inspectait lentement le trottoir.

Alex s'arrêta sur le seuil. Un instant il se demanda s'il ne commettait pas une erreur. Si la banque était de près ou de loin responsable de la mort de Ian Rider, peut-être l'avait-on prié de venir pour lui régler son compte. Non. La banque ne le tuerait pas. Il n'avait même pas un compte chez eux ! Il entra.

Dans un bureau du dix-septième étage, l'image de l'écran de contrôle tremblota. La caméra un qui surveillait la rue passa le relais aux caméras deux et trois situées dans le hall de réception, au moment où Alex y pénétrait. Un homme assis derrière un bureau appuya sur un bouton et la caméra effectua un zoom sur le visage du garçon, qui envahit l'écran.

« Ainsi il est venu, marmonna le président de la banque.

— Alors c'est lui ? » demanda une femme d'âge moyen.

Elle était dotée d'une drôle de tête en forme de pomme de terre et de cheveux noirs qui semblaient avoir été coupés avec des ciseaux émoussés et un bol retourné. Ses yeux étaient presque noirs eux aussi. Elle portait un austère tailleur gris et suçotait un bonbon à la menthe.

« Vous êtes sûr de vous, Alan ?

— Oh oui, répondit Alan Blunt. Tout à fait sûr. Vous savez quoi faire ? »

Cette dernière question s'adressait à son chauffeur, lequel se tenait debout, l'air mal à l'aise et légèrement courbé en avant. Son visage avait la blancheur de la craie. Il était ainsi depuis sa rencontre avec Alex à la casse automobile.

« Oui, monsieur, répondit-il.

— Alors exécution », ordonna Blunt sans quitter l'écran des yeux.

Dans le hall, après avoir demandé à être reçu par John Crawley, Alex s'assit sur un canapé de cuir. Il s'étonna vaguement de voir aussi peu de gens entrer et sortir. La réception était une salle vaste et claire, avec un sol de marbre brun et trois ascenseurs alignés sur un côté. Au-dessus du guichet d'accueil, une rangée d'horloges indiquaient les différentes heures des principales capitales du monde. Cela aurait pu être le hall de n'importe quel établissement : un hôpital ou une salle de concert. Et même un paquebot. Cet endroit n'avait aucun caractère particulier.

La porte d'un des ascenseurs s'ouvrit et Crawley apparut, vêtu de son costume habituel, mais avec une cravate différente.

« Navré de vous avoir fait attendre, Alex, s'excusa le directeur du personnel. Venez-vous directement du collège ? »

Le garçon se leva sans répondre. Son uniforme était suffisamment éloquent.

« Allons dans mon bureau, reprit Crawley avec un geste du bras. Prenons l'ascenseur. »

Si Alex ne vit pas la quatrième caméra installée dans l'ascenseur, c'est parce qu'elle était dissimulée derrière le miroir sans tain du fond. Il ne vit pas davantage l'amplificateur thermique placé à côté de la caméra. Cet appareil non seulement l'observait, mais observait à travers lui, et le décomposait en un ensemble de différentes couleurs, dont aucune ne traduisit la froideur de l'acier d'un revolver caché ou d'un couteau. En moins de temps qu'il n'en fallait à Alex pour battre des cils, l'appareil avait transmis ses informations à un ordinateur, lequel les avait aussitôt interprétées, avant de renvoyer son propre signal aux circuits de contrôle de l'ascenseur : « Tout va bien. Il n'est pas armé. Aller au quinzième étage. »

« Nous y voilà ! » dit Crawley en souriant.

Il guida Alex dans un long couloir au sol recouvert de parquet, doté d'un éclairage moderne. Entre les portes alignées étaient accrochées des peintures abstraites aux couleurs vives.

« Mon bureau est là-bas », indiqua Crawley en pointant le doigt.

Ils avaient dépassé trois portes lorsque Alex se figea. Chacune d'entre elles s'ornait d'un nom, et la dernière en portait un qu'il connaissait bien :

1504 – Ian Rider.

Des lettres blanches sur une plaque en plastique noir. Crawley hocha tristement la tête.

« Oui. C'est ici que travaillait votre oncle. Il va beaucoup nous manquer.

— Je peux entrer ? demanda Alex.

— Pourquoi ? s'étonna-t-il.

— Ça m'intéresse de voir son bureau.

— Désolé, soupira Crawley. La porte est fermée à clé et je ne l'ai pas. Une autre fois, peut-être. »

Il fit un nouveau geste du bras. Il utilisait ses mains comme un magicien qui va faire apparaître un éventail de cartes à jouer.

« Mon bureau est juste à côté du sien. Ici. »

Ils entrèrent au 1505. C'était une grande pièce carrée, avec trois fenêtres donnant sur la station de métro. À l'extérieur, une ondulation de bleu et de rouge attira l'attention d'Alex, et il se rappela le drapeau qui flottait sur la façade de l'immeuble. Le mât était juste à droite. Dans la pièce il y avait une table de travail avec un fauteuil, deux canapés, un réfrigérateur dans un angle, quelques gravures sur les murs. Un bureau très ennuyeux de directeur. Idéal pour un directeur ennuyeux.

« Asseyez-vous, Alex, je vous en prie, dit Crawley en allant vers le réfrigérateur. Je peux vous offrir quelque chose à boire ?

— Vous avez du Coca ?

— Oui. »

Il ouvrit une canette, remplit un verre, et le lui tendit.

« Des glaçons ?

— Non merci. »

Alex but une gorgée.

Ce n'était pas du Coca. Même pas du Pepsi. Il reconnut le goût trop sucré et un peu écœurant des imitations bon marché et regretta de n'avoir pas demandé de l'eau.

« De quoi vouliez-vous me parler, monsieur Crawley ?

— Du testament de votre oncle... »

Il fut interrompu par la sonnerie du téléphone et fit un geste d'excuse à Alex. Il causa quelques minutes puis raccrocha.

« Je suis désolé, Alex. Je dois redescendre à la réception. Ça ne vous dérange pas ?

— Allez-y, dit Alex en s'installant confortablement sur le canapé.

— J'en ai pour cinq minutes. »

Après un dernier signe d'excuse, Crawley quitta le bureau.

Alex attendit quelques secondes. Puis il versa le pseudo-Coca dans le pot d'une plante verte, se leva, se dirigea vers la porte, et sortit dans le couloir. Tout au bout, une femme chargée d'une pile de dossiers apparut, puis disparut derrière une porte. Aucune trace de Crawley. Il gagna rapidement la porte voisine et tourna la poignée. Le directeur du personnel avait dit la vérité. C'était fermé à clé.

Alex revint dans le bureau 1505. Il aurait donné n'importe quoi pour passer quelques minutes seul dans celui de Ian Rider. Apparemment quelqu'un jugeait son travail suffisamment important pour le tenir secret. Ils s'étaient introduits dans sa maison et avaient littéralement vidé ses affaires. La pièce fermée à clé lui fournirait peut-être une explication. Dans quoi Ian Rider était-il exactement impliqué ? Et était-ce la raison pour laquelle on l'avait tué ?

37

Le drapeau claqua au vent et Alex s'approcha de la fenêtre. Le mât était fixé sur la façade de l'immeuble à mi-distance exactement entre les deux bureaux mitoyens. S'il parvenait à l'atteindre, il pourrait sauter sur le rebord qui courait le long de la façade devant la pièce 1504. Évidemment, il était au quinzième étage. S'il sautait et ratait son coup, il atterrirait environ soixante-dix mètres plus bas. C'était stupide. Ça ne valait même pas la peine d'y songer.

Alex ouvrit la fenêtre et l'enjamba. Le mieux était de ne penser à rien. Il réussirait. Après tout, s'il s'était trouvé au rez-de-chaussée, ou sur un portique d'esca-lade dans la cour de l'école, ç'aurait été un jeu d'enfant. Ce qui rendait la chose terrifiante était le mur de brique qui tombait à pic jusqu'au trottoir, les voitures et les bus qui roulaient tout en bas comme des miniatures, et le vent qui lui fouettait le visage. Ne pas y penser. Le faire.

Alex se laissa glisser sur la saillie devant le bureau de Crawley. Les mains derrière le dos, il s'accrochait au rebord de la fenêtre. Il respira à fond, et sauta.

Une caméra installée dans une pièce de l'immeuble d'en face le filma alors qu'il s'élançait dans le vide. Deux étages plus haut, Alan Blunt était toujours assis devant son écran de contrôle. Il rit. Un rire sans humour.

« Je vous l'avais dit. Ce garçon est extraordinaire.

— Il est fou, vous voulez dire, rétorqua la femme.

— C'est peut-être ce qu'il nous faut.

— Vous allez rester assis là à le regarder se tuer ?

— Je vais rester assis là et espérer qu'il survivra. »

Alex avait mal calculé son saut. Il manqua le mât du

drapeau d'un centimètre et aurait plongé vers le trottoir s'il ne s'était raccroché au drapeau lui-même. Il resta ainsi suspendu les jambes dans le vide puis, lentement, il remonta en s'agrippant au tissu et réussit à se hisser sur le mât. Il ne regarda pas en bas. Il espérait seulement que personne n'aurait l'idée de lever les yeux.

Ensuite ce fut plus facile. Il s'accroupit sur le mât et sauta vers la saillie devant le bureau de Ian. Il devait être prudent. Trop à gauche, il percuterait la façade mais, trop loin de l'autre côté, il tomberait. En fait il atterrit parfaitement. Il saisit le rebord de la fenêtre à deux mains et s'y hissa. Alors seulement l'idée lui vint que la fenêtre était peut-être verrouillée. Dans ce cas, il n'aurait plus qu'à rebrousser chemin.

Par chance elle ne l'était pas. Alex la fit glisser sur son rail et pénétra dans le bureau 1504, qui était la réplique exacte du 1505. Même mobilier, même moquette, mêmes gravures sur les murs. Il alla s'asseoir derrière le bureau. La première chose qu'il vit fut une photo de lui, prise l'été précédent en Guadeloupe, où il faisait de la plongée. Une seconde photo était glissée dans l'angle du sous-verre : encore lui à l'âge de cinq ou six ans. Il en fut très étonné. Jamais il n'aurait imaginé que Ian était un sentimental.

Alex jeta un coup d'œil à sa montre. Trois minutes s'étaient écoulées depuis le départ de Crawley. Normalement il en restait deux avant son retour. S'il devait trouver quelque chose, il fallait faire vite. Il ouvrit un tiroir qui contenait cinq ou six dossiers épais. Il les sortit. Un seul coup d'œil lui suffit pour comprendre qu'ils n'avaient aucun rapport avec la banque.

Le premier dossier s'intitulait : « Poisons neurotoxiques – nouvelles méthodes de dissimulation et de dissémination ». Le deuxième : « Assassinats – quatre études de cas ». De plus en plus intrigué, il parcourut les autres dossiers qui avaient pour sujets l'antiterrorisme, les circuits de l'uranium à travers l'Europe et les techniques d'interrogatoire. Le dernier dossier était sobrement étiqueté : « Stormbreaker ».

Alex s'apprêtait à le parcourir lorsque la porte s'ouvrit brusquement devant deux hommes. L'un était Crawley, l'autre le chauffeur. Alex savait qu'il ne servirait à rien de chercher à se justifier. Il était assis derrière le bureau de Ian avec un dossier ouvert entre les mains. En même temps il s'aperçut que les deux hommes n'étaient pas surpris de le voir. À en juger par la façon dont ils étaient entrés, ils s'attendaient à le trouver là.

« Nous ne sommes pas dans une banque, dit Alex. Qui êtes-vous ? Est-ce que mon oncle travaillait pour vous ? Est-ce vous qui l'avez tué ?

— Cela fait beaucoup de questions, Alex, murmura Crawley. Et je crains que nous ne soyons pas autorisés à vous fournir les réponses. »

Son acolyte tendit la main et Alex vit qu'il avait un revolver. Il se leva en tenant le dossier devant lui, dans l'espoir futile de se protéger.

« Non... »

L'homme tira. Il n'y eut pas de détonation. Le canon

40

crachota en direction d'Alex qui ressentit un curieux choc au cœur. Sa main s'ouvrit et le dossier tomba à terre. Puis ses jambes se dérobèrent et il sombra dans le néant.

4

« Qu'en dites-vous ? »

Alex ouvrit les yeux. Il était encore en vie ! Agréable surprise.

Il était allongé sur un lit, dans une vaste et confortable chambre. Le lit était moderne mais la pièce ancienne, avec des poutres au plafond, une cheminée de pierre, des fenêtres étroites ornées d'un encadrement de bois sculpté. Alex avait vu des décors semblables dans des livres, quand il étudiait Shakespeare. Apparemment la maison était de style élisabéthain[1] et située quelque part dans la campagne. Il n'y avait aucun bruit de circulation et il apercevait des arbres.

Quelqu'un l'avait déshabillé. À la place de son uniforme de collégien, il portait un ample pyjama, en soie

---

1. Fin du XVIe, début du XVIIe siècle, époque du règne d'Elisabeth Ire d'Angleterre.

lui sembla-t-il. À en juger par la lumière du jour, ce devait être le début de l'après-midi. Il aperçut sa montre sur la table de nuit et la prit. L'aiguille indiquait midi. Or il était environ quatre heures et demie lorsqu'on lui avait tiré dessus avec ce qui devait être un pistolet hypodermique. Il avait donc perdu une nuit entière et la moitié d'une journée !

Une salle de bains était contiguë à la chambre : du carrelage blanc étincelant, une douche immense dans une cabine cylindrique de verre et de chrome. Alex ôta le pyjama et resta cinq longues minutes sous le jet d'eau chaude. Ensuite il se sentit mieux.

Il revint dans la chambre et ouvrit l'armoire. Quelqu'un s'était introduit dans sa maison de Chelsea : tous ses vêtements étaient là, soigneusement suspendus. Qu'est-ce que Crawley avait bien pu raconter à Jack ? Il avait sans doute inventé une histoire quelconque pour expliquer sa disparition soudaine. Alex sortit un pantalon Gap style commando, un sweat-shirt et des tennis Nike. Il s'habilla, puis s'assit sur le lit et attendit.

Une quinzaine de minutes plus tard, on frappa à la porte. Une jeune femme asiatique au visage souriant, en uniforme d'infirmière, entra.

« Oh, je vois que vous êtes réveillé. Et habillé. Comment vous sentez-vous ? Pas trop groggy, j'espère. Venez. Suivez-moi. M. Blunt vous attend pour le déjeuner. »

Alex n'avait pas dit un mot. Il la suivit hors de la chambre, le long d'un couloir, et descendit un escalier. La maison était typiquement élisabéthaine, avec des lambris de bois dans les couloirs, des lustres tarabiscotés, des tableaux anciens représentant de vieux messieurs barbus, portant pourpoint et fraise. L'escalier conduisait dans une pièce très haute de plafond avec une loggia, un tapis recouvrant le dallage de pierre et une cheminée assez grande pour y garer une voiture. Une longue table cirée avait été dressée pour trois convives. Alan Blunt était déjà attablé avec une femme brune d'allure assez masculine, qui dépliait un papier de bonbon. Mme Blunt ?

« Ah... Alex, dit Alan Blunt avec un sourire bref, comme s'il s'apprêtait à faire une chose qui ne le réjouissait pas. C'est gentil de vous joindre à nous.

— Vous ne m'avez guère laissé le choix, répliqua Alex en s'asseyant.

— En effet. Je ne sais pas pourquoi Crawley a jugé bon de vous endormir ainsi, mais je suppose que c'était le moyen le plus facile. Permettez-moi de vous présenter ma collègue, Mme Jones. »

La femme hocha la tête. Elle l'examina en détail mais ne dit rien.

« Qui êtes-vous ? dit Alex. Et que me voulez-vous ?

— Je comprends que vous ayez beaucoup de questions à nous poser. Mais commençons par déjeuner », suggéra Blunt.

Il pressa sans doute un bouton caché, ou bien quelqu'un l'entendit, car à cet instant précis une porte s'ouvrit et un domestique en veste blanche et pantalon noir entra avec un plateau.

« J'espère que vous aimez la viande, reprit Blunt. Aujourd'hui c'est du carré d'agneau.

— Vous voulez dire des côtelettes grillées.

— Le chef aime les noms ronflants. »

On les servit. Blunt et Mme Jones buvaient du vin rouge. Alex s'en tint à l'eau. Enfin Blunt se lança.

« Comme vous l'avez deviné, la Banque Royale & Générale n'est pas une banque. En fait elle n'existe pas... Ce n'est qu'une façade. Ce qui bien sûr signifie que votre oncle n'était pas banquier. Ian Rider travaillait pour moi. Mon nom, comme je vous l'ai dit aux obsèques, est Blunt. Je suis directeur du Service des opérations spéciales du MI 6[1]. Et votre oncle Ian était, faute d'un autre mot, un espion. »

Alex ne put s'empêcher de sourire.

« Vous voulez dire... comme James Bond ?

— En quelque sorte. Bien que nous ne soyons pas partisans des chiffres. Les 00 et tout le tralala. Ian Rider était un agent de terrain, surentraîné et très courageux. Il a accompli avec succès des missions en Iran, à Washington, Hong Kong, Le Caire, pour n'en citer que quelques-unes. J'imagine que ce doit être un choc pour vous. »

Alex songea à Ian et à ce qu'il connaissait de sa vie. Sa discrétion. Ses longs déplacements à l'étranger. Les fois où il était rentré à la maison blessé. Tantôt un bras en écharpe, tantôt des contusions au visage. De petits

---

1. Département des services secrets britanniques, chargé de l'espionnage.

accidents, expliquait-il alors. Aujourd'hui tout cela prenait un sens.

« Non, ce n'est pas un choc », répondit Alex.

Blunt coupa un morceau de viande bien net.

« Lors de sa dernière mission, la chance lui a fait défaut. Ian travaillait ici, en Angleterre, en Cornouailles, sous une couverture[1]. Il rentrait à Londres pour faire son rapport quand il a été tué. Vous avez vu sa voiture à la casse.

— Stryker & fils, murmura Alex. Qui est-ce ?

— Simplement des gens que nous utilisons. Des restrictions de budget nous obligent à sous-traiter certains travaux. Mme Jones est chef des opérations spéciales. C'est elle qui a confié sa dernière mission à votre oncle.

— Nous sommes désolés de l'avoir perdu, Alex », dit la femme, prenant la parole pour la première fois.

Mais elle n'avait pas du tout l'air désolé.

« Vous savez qui l'a tué ?

— Oui.

— Vous allez me le dire ?

— Non. Pas encore.

— Pourquoi non ?

— Parce que vous n'avez pas besoin de le savoir. Pas à ce stade.

— Très bien, dit Alex en posant sa fourchette et son couteau dont il ne s'était pas encore servi. Mon oncle était un espion. Grâce à vous il est mort. J'ai découvert

---

1. Ici, au sens de fausse identité.

trop de choses, vous m'avez drogué et amené ici. Où sommes-nous, au fait ?

— Dans un de nos centres d'entraînement, répondit Mme Jones.

— Vous m'avez conduit ici parce que vous ne voulez pas que je raconte ce que je sais. Je me trompe ? Si c'est ça, je veux bien signer n'importe quel formulaire officiel ou tout ce que vous voudrez, pour jurer que je garderai le secret. Ensuite je veux rentrer chez moi. Toute cette histoire est absurde. Et j'en ai assez. Je veux sortir d'ici.

— Ce n'est pas si facile, intervint Blunt en toussotant.

— Pourquoi ?

— Vous avez beaucoup attiré l'attention sur vous, aussi bien à la casse automobile que dans nos bureaux de Liverpool Street. Et il est vrai également que ce que vous savez déjà, et ce que je vais vous révéler, doit rester secret. Mais la vérité, Alex, c'est que nous avons besoin de votre aide.

— Mon aide ?

— Oui... Avez-vous entendu parler d'un certain Herod Sayle ? »

Alex réfléchit un instant.

« J'ai lu son nom dans les journaux. Il est dans les ordinateurs, je crois. Et il possède des chevaux de course. Est-ce qu'il n'est pas originaire d'Égypte ?

— Non. Du Liban, rectifia Blunt en sirotant une gorgée de vin. Laissez-moi vous raconter son histoire, Alex. Je suis sûr que vous la trouverez intéressante. Herod

Sayle est né dans une famille misérable des quartiers pauvres de Beyrouth. Son père était un pauvre coiffeur. Sa mère faisait des lessives. Il avait neuf frères et quatre sœurs, et tout ce petit monde s'entassait dans trois pièces minuscules avec la chèvre de la famille. Le jeune Herod n'était jamais allé à l'école et il aurait dû finir illettré et chômeur comme tous les autres.

« Mais, à l'âge de sept ans, un événement a boule-versé sa vie. Il marchait dans une rue de Beyrouth quand, tout à coup, un piano droit est tombé d'une fenêtre du quatorzième étage d'un immeuble. Appa-remment il y avait un déménagement et le piano a bas-culé. Quoi qu'il en soit, un couple de touristes améri-cains se promenait sur le trottoir juste en dessous et ils auraient probablement été écrasés si, à la dernière seconde, Herod ne s'était jeté sur eux pour les écarter de la trajectoire. Le piano les a manqués d'un milli-mètre.

« Bien entendu ils ont été extrêmement reconnais-sants envers le jeune miséreux. Or ces Américains étaient très riches. Ils ont pris des renseignements sur lui, découvert à quel point il était pauvre et, par grati-tude et compassion, ils l'ont plus ou moins adopté. Ils l'ont sorti de Beyrouth et l'ont inscrit dans une école, ici, en Angleterre, où il a fait des progrès stupéfiants et rattrapé son retard. Coïncidence étonnante, à l'âge de quinze ans, Herod Sayle s'est retrouvé dans la même classe qu'un garçon qui allait devenir Premier ministre de Grande-Bretagne. Notre actuel Premier ministre pour être précis. Ils étaient condisciples.

« À partir de là, je vais abréger. Sayle a poursuivi ses études universitaires à Cambridge, où il est arrivé premier en sciences économiques. Ensuite il a entamé une carrière fulgurante, allant de succès en succès. Une station de radio, un label de disques, des logiciels informatiques... Il a même trouvé le temps d'acheter une écurie de chevaux de course, même si, assez bizarrement, ses pur-sang arrivent toujours derniers. Mais ce qui a attiré notre attention sur lui est sa dernière innovation. Un ordinateur révolutionnaire auquel il a donné le nom de *Stormbreaker*[1]. »

Stormbreaker. Alex se rappela soudain le dossier trouvé dans le bureau de son oncle.

« Le Stormbreaker est fabriqué par Sayle Entreprises, précisa Mme Jones. On a beaucoup parlé de son design. Clavier et coque noirs...

— Avec le dessin d'un éclair sur le côté, poursuivit Alex. J'ai vu une photo dans *PC Magazine*.

— Ce n'est pas seulement son aspect qui le différencie des autres, reprit Blunt. Le Stormbreaker est conçu selon une technologie totalement nouvelle. Le processeur circulaire. Ça ne vous dit rien, je suppose ?

— C'est un circuit intégré sur une sphère de silicone d'environ un millimètre de diamètre, dit Alex. C'est quatre-vingt-dix pour cent moins cher à produire qu'une puce de micro ordinaire parce que tout est scellé et qu'il n'est pas nécessaire d'avoir des salles aseptisées pour la fabrication.

---

1. Littéralement : brise-tempête.

50

— Heu... oui, toussota Blunt. Quoi qu'il en soit, l'important est que Sayle Entreprises s'apprête à faire une annonce tout à fait originale. Leur projet est d'offrir dix mille de ces nouveaux ordinateurs. Sayle compte doter chaque école secondaire de Grande-Bretagne de son Stormbreaker. Par cet acte de générosité inégalé, il veut remercier le pays qui lui a donné asile.

— C'est donc un héros.

— En apparence, oui. Il y a quelques mois, il a écrit une lettre au Premier ministre :

Mon cher Premier ministre,
Peut-être vous souvenez-vous de l'époque où nous allions ensemble à l'école. Je vis en Angleterre depuis près de quarante ans et je désire exprimer mes sentiments envers votre pays par un geste qui restera mémorable.

« La lettre précisait les détails du cadeau, et elle était signée de la main même de notre homme : *Votre dévoué Herod Sayle.* Il va sans dire que le gouvernement a poussé cri de joie.

« Les ordinateurs sont assemblés dans l'usine de Port Tallon, en Cornouailles. Ils seront distribués dans tout le pays à la fin de ce mois. Le 1er avril, une cérémonie se déroulera au musée de la Science, à Londres. Le Premier ministre appuiera alors sur un bouton qui mettra tous les ordinateurs en ligne... Tous d'un seul coup. Et M. Sayle sera récompensé en recevant la citoyenneté britannique, ce qui apparemment est son souhait le plus cher. Pour l'instant ceci est une information top secret.

— Eh bien je suis ravi pour lui, dit Alex. Mais vous ne m'avez toujours pas dit quel rapport cela a avec moi. »

Blunt jeta un coup d'œil à Mme Jones qui avait terminé son repas tandis qu'il faisait son exposé. Elle défit un autre bonbon à la menthe et prit le relais de Blunt :

« Depuis quelque temps notre service – les opérations spéciales – s'intéresse à M. Sayle. Nous nous demandons s'il n'est pas trop généreux pour être honnête. Je n'entrerai pas dans les détails, Alex, mais nous surveillons ses affaires. Il a des contacts en Chine et dans l'ex-Union soviétique. Des pays qui n'ont jamais été nos amis. Le gouvernement le prend peut-être pour un saint, mais cet homme a un côté impitoyable. En outre, les dispositifs de sécurité de Port Tallon nous intriguent et nous inquiètent. Sayle entretient plus ou moins sa propre armée privée. Il agit comme s'il avait quelque chose à cacher.

— Mais personne ne voudra le croire, marmonna Blunt.

— Exactement. Le gouvernement se réjouit beaucoup trop de mettre la main sur ces ordinateurs pour nous écouter. C'est pourquoi nous avons décidé d'envoyer un homme à nous sur place. Sous le prétexte de s'occuper de la sécurité. Mais sa mission était en réalité de tenir Herod Sayle à l'œil.

— Vous parlez de mon oncle, je suppose », dit Alex.

Ian Rider avait dit qu'il partait assister à un congrès.

Nouveau mensonge dans une vie qui n'avait été que mensonges.

« Oui. Il est resté trois semaines à Port Tallon, et M. Sayle ne lui a pas plu davantage qu'à nous. Dans ses premiers rapports, Rider le décrivait comme un homme coléreux et déplaisant. Mais en même temps il devait admettre que tout semblait normal. La fabrication suivait les prévisions. Les Stormbreakers sortaient de la chaîne de montage. Tout le monde avait l'air content.

« Et puis nous avons reçu un autre message. Rider ne pouvait pas être très précis parce que c'était en clair, mais il nous informait qu'il s'était produit un incident. Qu'il avait découvert quelque chose, que les Stormbreakers ne devaient à aucun prix sortir de l'usine, et qu'il venait à Londres tout de suite. Il a quitté Port Tallon à seize heures. Il n'a même pas atteint l'autoroute. Il est tombé dans une embuscade sur une petite route de campagne. La police locale a retrouvé sa voiture. Nous nous sommes arrangés pour la rapatrier ici. »

Alex resta silencieux. Il imaginait très bien la scène. Une route sinueuse, bordée d'arbres en fleurs. La BMW argent, étincelante sous le soleil. Et, à un croisement, un véhicule qui attendait...

« Pourquoi me racontez-vous tout ça ?

— Parce que ça renforce nos hypothèses, répondit Blunt. Nous avons des doutes sur Sayle et nous envoyons un homme le surveiller. Notre meilleur agent. Celui-ci trouve quelque chose et il meurt. Rider a peut-être découvert la vérité...

— Mais je ne comprends pas ! l'interrompit Alex.

Sayle offre des ordinateurs. Il ne gagne donc pas d'argent. En échange il reçoit la citoyenneté britannique. Parfait ! Qu'a-t-il à cacher ?

— Nous l'ignorons, admit-il. Nous n'en avons pas la moindre idée, mais nous voulons le découvrir. Et vite. Avant que ces ordinateurs ne quittent l'usine.

— La distribution doit commencer le 31 mars, ajouta Mme Jones. Il nous reste seulement deux semaines. »

Elle jeta un coup d'œil à Blunt, qui hocha la tête, et poursuivit :

« C'est la raison pour laquelle nous devons impérativement envoyer une autre personne à Port Tallon. Quelqu'un qui reprendra l'enquête là où votre oncle l'a laissée.

— J'espère que vous ne songez pas à moi, dit Alex avec un sourire crispé.

— Il nous est impossible d'envoyer un autre agent, expliqua Mme Jones. L'ennemi a dévoilé son jeu. Il a tué Ian Rider et attend son remplaçant. Nous devons ruser.

— Envoyer quelqu'un qui ne se fera pas remarquer, poursuivit Blunt. Quelqu'un capable d'ouvrir l'œil et de nous faire un rapport sans être lui-même surveillé. Nous pensions choisir une femme, qui se ferait embaucher comme secrétaire ou réceptionniste. Mais j'ai eu une meilleure idée.

« Il y a quelques mois, continua Blunt, une revue d'informatique a lancé un concours. *"Soyez le premier à utiliser un Stormbreaker. Allez à Port Tallon et rencon-*

trez Herod Sayle en personne." C'était le premier prix du concours et le gagnant est un adolescent, un vrai crack en informatique. Il a votre âge. Et il vous ressemble un peu. Il est attendu à Port Tallon dans moins de deux semaines...

— Une petite minute...

— Vous avez prouvé que vous êtes un garçon extraordinairement courageux et plein de ressources, dit Blunt. Tout d'abord à la casse automobile... Un joli coup de karaté. Depuis combien de temps apprenez-vous le karaté ? »

Comme Alex ne répondait pas, il continua :

« Ensuite il y a ce petit test auquel nous vous avons soumis à la banque. Un garçon qui enjambe une fenêtre du quinzième étage pour satisfaire sa curiosité a quelque chose de spécial, vous en conviendrez. Et, pour ma part, je vous trouve vraiment *très* spécial.

— Nous vous suggérons de venir travailler pour nous, reprit Mme Jones. Nous avons le temps de vous soumettre à un entraînement de base, bien que vous n'en ayez probablement pas besoin, et de vous équiper de quelques instruments qui pourraient vous servir pour ce que nous projetons. Ensuite nous ferons en sorte que vous preniez la place de l'autre garçon. Vous vous présenterez chez Sayle Entreprises le 29 mars. C'est le jour prévu de l'arrivée du jeune Felix Lester. Vous y resterez jusqu'au 1er avril, date de la cérémonie officielle. Le planning ne pourrait être meilleur. Vous rencontrerez Herod Sayle. Observez-le et dites-nous ce que vous en pensez. Vous trouverez peut-être ce que votre oncle avait découvert et pourquoi il est mort. Normalement, vous ne courez aucun danger. Qui soupçonnerait d'espionnage un garçon de quatorze ans ?

— Tout ce que nous vous demandons, ajouta Blunt, est de nous faire un rapport. C'est tout. Deux semaines de votre temps. La possibilité de nous assurer que ces ordinateurs sont aussi sensationnels qu'on le prétend. Une chance de servir votre pays. »

Blunt avait terminé son repas. Son assiette était parfaitement propre, comme si elle n'avait jamais contenu de nourriture. Il posa soigneusement son couteau et sa fourchette côte à côte.

« Alors, Alex. Qu'en dites-vous ? »

Il y eut un long silence.

Blunt le dévisageait avec un intérêt poli. Mme Jones défit un autre bonbon à la menthe, ses yeux noirs fixés sur le bout de papier froissé entre ses doigts.

« Non, dit Alex.

— Pardon ?

— C'est une idée idiote. Je ne veux pas devenir espion. Je veux être footballeur. De toute façon, j'ai ma vie à moi. »

Il avait du mal à trouver les mots justes. Toute cette histoire était tellement farfelue qu'il avait presque envie d'en rire.

« Pourquoi ne demandez-vous pas à ce Felix Lester de fouiner pour vous ?

— Il a beaucoup moins de ressources que vous, répondit Blunt.

— Mais il est probablement bien meilleur en informatique. Désolé. Je ne suis pas intéressé. Je ne veux pas me mêler de ça.

— Dommage », soupira Blunt.

L'intonation de sa voix n'avait pas changé, pourtant il y avait une sorte de pesanteur et de menace derrière ce mot. Et aussi quelque chose de différent dans son attitude. Au cours du repas il s'était montré extrêmement courtois. Pas amical mais humain. Or, en une seconde, tout cela s'était envolé. Alex eut l'impression qu'il venait de tirer une chasse d'eau et que la part d'humanité qui était en Blunt avait été emportée. Noyée.

« Dans ce cas nous ferions mieux de discuter de votre avenir, Alex. Que cela vous plaise ou non, la Banque Royale & Générale est désormais votre tuteur légal.

— Vous disiez que cette banque n'existait pas. »

Blunt l'ignora.

« Bien évidemment, Ian Rider vous a légué la maison et tout son argent. Toutefois ses biens sont administrés sous fidéicommis[1] jusqu'à vos dix-huit ans. Or ce fidéicommis est sous notre contrôle. Ce qui signifie qu'il y aura, je le crains, des changements dans votre situation. L'Américaine qui vit avec vous...

— Jack ?

— Mlle Starbright. Son visa va bientôt expirer. Elle devra retourner en Amérique. Et nous pensons vendre

_____

1. Disposition juridique (ici testamentaire) qui permet à une personne (ici le défunt) de déléguer à un tiers de « confiance » la gestion de ses biens pendant une période transitoire (ici, jusqu'à la majorité d'Alex) avant de les remettre à l'héritier en titre.

la maison. Malheureusement, comme vous n'avez aucun parent pour veiller sur vous, vous devrez quitter le collège Brookland et aller dans une pension. J'en connais une dans la banlieue de Birmingham. Ce n'est pas un endroit très amusant, mais je crains que vous n'ayez pas le choix.

— C'est du chantage ! s'écria Alex.

— Pas du tout.

— Et si j'accepte de faire ce que vous me demandez ? »

Blunt et Mme Jones échangèrent un coup d'œil.

« Vous nous aidez, nous vous aiderons », dit la femme.

Alex réfléchit, mais pas très longtemps. Il était coincé et il le savait. Ces gens contrôlaient son argent, sa vie, son avenir.

« Vous parliez d'un entraînement ?

— En effet, acquiesça Mme Jones. C'est pourquoi nous vous avons conduit ici, Alex. C'est un centre spécialisé. Si vous êtes d'accord, nous pouvons commencer tout de suite.

— Commencer tout de suite », répéta-t-il machinalement.

Ces mots ne lui disaient rien qui vaille. Blunt et Mme Jones attendaient sa réponse. Il poussa un soupir.

« Bon. D'accord. De toute façon je n'ai pas vraiment le choix. »

Il contempla les côtelettes d'agneau froides dans son assiette. De la viande froide. Soudain il comprit ce que ce mot voulait dire.

5

Triple zéro

Pour la énième fois Alex pesta contre Alan Blunt, avec un vocabulaire imagé qu'il ignorait connaître ! Il était presque cinq heures de l'après-midi, mais il aurait pu être cinq heures du matin : le ciel n'avait quasiment pas changé de toute la journée. Gris, froid, implacable. Il pleuvait inlassablement, un crachin fin que le vent fouettait à l'horizontale et qui traversait ses vêtements supposés imperméables. La pluie, mêlée à sa sueur, le glaçait jusqu'aux os.

Il déplia la carte pour vérifier une nouvelle fois sa position. Normalement il devait être tout près du dernier point de rendez-vous de la journée, mais il ne voyait rien. Il se trouvait sur un chemin étroit, couvert de cailloux gris qui crissaient sous les semelles de ses *rangers*. Le sentier serpentait sur le flanc d'une montagne, avec une pente à pic sur la droite. Alex se trouvait quelque part dans les Brecon Beacons[1], d'où l'on jouissait habituellement d'un magnifique panorama, mais le paysage était escamoté par la pluie et la lumière déclinante. Quelques arbres tordus émergeaient du flanc de la montagne, dotés de feuilles aussi dures que des épines. Derrière lui, devant, en dessous, tout se ressemblait. Le pays de Nulle Part.

Alex souffrait. Le sac à dos de dix kilos qu'on l'avait obligé à porter lui cisaillait les épaules et lui donnait des ampoules aux points de frottement dans son dos. Son genou droit, sur lequel il était tombé un peu plus tôt, ne saignait plus mais le lançait encore. Il avait une épaule contusionnée et une estafilade dans le cou. Sa tenue de camouflage – il avait troqué son pantalon commando Gap pour un modèle authentique – n'était pas à sa taille : elle le serrait aux jambes et sous les bras, mais bâillait partout ailleurs. Alex était au bord de l'épuisement, presque trop fatigué pour ressentir la douleur. Sans les tablettes de glucose et de caféine de sa trousse de survie, il se serait effondré depuis longtemps. Il savait que, s'il ne trouvait pas très vite le point de rendez-vous, il serait physiquement incapable de continuer. Il serait alors mis hors course. Sacqué, comme on disait ici. Les autres seraient ravis. Ravalant le goût amer de la défaite, il replia la carte et se força à avancer.

C'était le neuvième, ou peut-être le dixième jour de l'entraînement. Le temps avait commencé à se diluer,

---

1. Parc national situé au sud du pays de Galles, avec des montagnes, des forêts, des pâturages, des rivières.

informe, comme la pluie. Après le déjeuner avec Alan Blunt et Mme Jones, Alex avait quitté le manoir élisabéthain et s'était retrouvé dans un des baraquements de bois brut du camp d'entraînement, à plusieurs kilomètres de là. Il y en avait neuf, chacun équipé de quatre lits en fer et de quatre placards métalliques. Un cinquième lit avait été ajouté dans l'un des baraquements pour Alex. Deux autres, peints d'une couleur différente, se dressaient côte à côte. L'un d'eux abritait la cuisine et le mess[1], l'autre les toilettes, les lavabos et les douches (dépourvus de robinets d'eau chaude).

Le premier jour, Alex avait été présenté à son officier instructeur, un sergent noir incroyablement athlétique. C'était le genre d'homme qui croyait avoir tout vu et tout connu. Jusqu'à ce qu'il fasse la connaissance d'Alex. Il avait examiné le petit nouveau un long moment avant de parler :

« C'est pas mon boulot de poser des questions, avait dit le sergent. Mais si ça l'était, je voudrais bien savoir ce qu'ils ont dans la tête pour m'envoyer des mômes. Tu as une idée de l'endroit où tu te trouves, mon gars ? C'est pas le Club Med, ici, dit-il comme s'il crachait les mots. Tu restes avec moi onze jours seulement et ils espèrent que je vais te donner une formation qui dure normalement quatorze semaines. Non seulement c'est idiot, mais c'est du suicide.

— Je n'ai pas demandé à venir ici », avait rétorqué Alex.

---

1. Dans le langage militaire, réfectoire destiné aux gradés (officiers, sous-officiers).

Soudain, le sergent s'était mis en colère.

« Tu n'ouvres pas la bouche avant que je t'en aie donné la permission ! brailla-t-il. Et quand tu t'adresses à moi, tu me dis : "Chef". Compris ?

— Oui, chef. »

Le sergent était pire encore que son professeur de géographie.

« En ce moment, il y a ici cinq unités opérationnelles, poursuivit le sergent. Tu seras affecté à l'unité K. Nous n'utilisons pas de noms. Je n'ai pas de nom. Tu n'as pas de nom. Si quelqu'un te demande ce que tu fais, tu ne dis rien. Certains hommes risquent de se montrer durs avec toi. Certains peuvent voir d'un mauvais œil ta présence ici. Tant pis pour toi. Il faudra t'y faire. Il y a autre chose que tu dois savoir. Je peux avoir certaines indulgences pour toi. Tu es un jeune garçon, pas un homme. Mais si tu te plains, tu seras sacqué. Et, pour être tout à fait franc, comme je trouve que ta place n'est pas ici, j'ai très envie que tu sois sacqué. »

Après ce laïus, Alex avait rejoint l'unité K. Comme l'avait prédit le sergent, personne ne fut ravi de le voir.

Ils étaient quatre. Ainsi qu'il allait bientôt le découvrir, le Service des opérations spéciales du MI 6 envoyait ses agents au même centre d'entraînement que le Special Air Service[1]. L'essentiel de l'entraînement s'inspirait d'ailleurs des méthodes du SAS, et cela incluait le nombre et la constitution de chaque équipe. Ils étaient

---

1. Équivalent du GIGN français, commando de gendarmes surentraînés, spécialisé dans les opérations délicates : prises d'otages, attentats…

donc quatre hommes, chacun avec sa spécialité. Plus un garçon, qui semblait n'en avoir aucune.

Ils avaient tous entre vingt-cinq et trente ans. Ils étaient vautrés sur les couchettes et ne disaient pas un mot. Deux fumaient. Un autre démontait et remontait son arme : un pistolet Browning 9 mm. Chacun portait un nom de code : Loup, Renard, Aigle, Serpent. Alex serait Louveteau. Le chef de l'unité, Loup, était celui qui manipulait son arme. Trapu, musclé, des épaules carrées, des cheveux noirs coupés ras. Il avait un beau visage, bien qu'un peu irrégulier à cause de son nez qui avait été cassé.

Il avait été le premier à parler. Posant son arme, il avait dévisagé Alex de ses yeux gris et froids.

« Qui tu es, toi ?

— Louveteau, répondit Alex.

— Un collégien ! ricana Loup avec un léger accent étranger indéfinissable. Je n'arrive pas à y croire. Tu fais partie des opérations spéciales ?

— Je ne suis pas autorisé à vous répondre », dit-il en allant s'asseoir sur sa couchette.

Le matelas était aussi dur que le cadre. Malgré le froid, il n'y avait qu'une seule couverture.

Loup secoua la tête et esquissa un sourire sinistre.

« Regardez un peu ce qu'ils nous ont envoyé. 007 ! Ou plutôt Triple Zéro. »

Le surnom lui resta. Ils l'appelèrent Triple Zéro.

Les jours suivants, Alex suivit le groupe comme une ombre. Il n'était pas intégré, mais n'était jamais loin. Tout ce que les autres faisaient, il le faisait. Ou presque.

Il apprit le déchiffrement des cartes d'état-major, la communication radio et les premiers secours. Il participa à un cours de close-combat[1] et se retrouva si souvent au tapis qu'il lui fallut rassembler tout son courage pour se relever.

Ensuite il y eut le parcours du combattant. Cinq fois il dut se débattre dans un cauchemar de filets, d'échelles, de tunnels, de fossés, de cordes et de murs qui s'étendait sur près de cinq cents mètres à travers le bois jouxtant les baraquements. Le terrain de jeu de l'enfer. La première fois, il tomba d'une corde et atterrit dans une fosse remplie de boue glaciale. À moitié noyé, crotté, il fut renvoyé au point de départ par le sergent. Alex crut qu'il n'arriverait jamais au bout mais, la deuxième fois, il termina le parcours en vingt minutes. À la fin de la semaine, il avait réduit son temps à dix-sept minutes. Malgré les contusions et l'épuisement, il était assez content de lui. Le record de Loup n'était que de douze minutes.

L'hostilité de celui-ci ne désarmait pas. Les trois autres l'ignoraient, mais Loup faisait tout son possible pour le harceler ou l'humilier. On aurait cru qu'il se sentait insulté par la présence d'un adolescent dans leur groupe. Un jour, alors qu'il rampait sous les filets du parcours du combattant, Loup lui lança un coup de pied qui manqua le visage d'Alex d'un centimètre. S'il l'avait atteint, il aurait évidemment prétendu que c'était un accident. Un autre jour, Loup eut plus de succès : il

---

1. Combat corps à corps (vient de l'anglais « close », près).

le bouscula dans le mess et l'envoya valdinguer avec son plateau et l'assiette de ragoût. Chaque fois qu'il s'adressait à lui, il prenait toujours le même ton ricanant :

« Bonne nuit, Triple Zéro. Et ne mouille pas ton lit ! »

Alex se mordait la lèvre et ne répondait rien. Il fut ravi le jour où les quatre hommes furent expédiés pour un exercice de survie dans la « jungle » – dont il fut dispensé car cela ne faisait pas partie de son entraînement – même si le sergent le fit travailler deux fois plus pendant leur absence. Il préférait être seul.

Le huitième jour, Loup faillit pourtant réussir à l'éliminer. Cela se passait dans la maison de la Mort.

Il s'agissait d'un exercice de simulation. La maison de la Mort était la réplique grandeur nature d'une ambassade qui servait à entraîner les membres du SAS à la libération d'otages. Alex avait observé deux fois l'unité K pénétrer dans la maison (la première fois par le toit à l'aide de cordes) et il avait suivi leur progression sur un écran de contrôle. Les quatre hommes étaient armés. Alex n'avait pas pris part à l'exercice parce que quelqu'un, quelque part, avait décidé qu'il ne devait pas porter d'arme. À l'intérieur de la fausse ambassade, des mannequins simulaient des otages et des terroristes. Enfonçant les portes, jetant des grenades paralysantes pour nettoyer les pièces dans un vacarme d'explosions assourdissantes, Loup, Renard, Aigle et Serpent avaient rempli leur mission avec succès les deux fois.

La troisième fois, Alex s'était joint à eux. La maison

de la Mort était truffée de pièges, mais ils en ignoraient la nature. Aucun d'eux n'avait d'arme. Leur travail consistait simplement à traverser le bâtiment d'un bout à l'autre sans se faire « tuer ».

Ils réussirent presque. Dans la première pièce, qui ressemblait à une immense salle à manger, ils trouvèrent des contacts dissimulés sous le tapis et des rayons infrarouges en travers des portes. Pour Alex c'était une expérience irréelle. Il suivit les quatre hommes en marchant sur la pointe des pieds, les regarda désarmer les contacts, utiliser la fumée de cigarette pour matérialiser les faisceaux invisibles. C'était une sensation étrange d'avoir peur sans savoir de quoi. Dans le hall, un détecteur de mouvements devait déclencher un pistolet-mitrailleur (qu'Alex supposa chargé à blanc) dissimulé derrière un paravent japonais. La troisième pièce était vide. La quatrième était un salon, avec la sortie : une rangée de portes-fenêtres. Un fil de détente, à peine plus gros qu'un cheveu, traversait toute la largeur de la pièce, et les portes-fenêtres étaient munies d'un système d'alarme. Pendant que Serpent le déconnectait, Renard et Aigle s'apprêtaient à neutraliser le fil de détente à l'aide d'un arsenal d'outils et d'instruments électroniques qu'ils portaient à la ceinture.

Loup les arrêta.

« Laissez. On sort de là. »

Au même instant, Serpent leur fit un signe. Il avait désactivé l'alarme. Les portes-fenêtres étaient ouvertes.

Serpent fut le premier dehors. Puis Renard et Aigle. Alex aurait dû être le dernier à sortir mais, au moment où il atteignait la porte, il trouva Loup qui lui barrait le chemin.

« Pas de chance, Triple Zéro. »

Sa voix était douce, presque gentille.

La seconde suivante, Alex reçut sa paume en pleine poitrine et fut projeté en arrière avec une violence inouïe. Surpris, il perdit l'équilibre et tomba. Se souvenant du fil de détente, il se contorsionna pour l'éviter. En vain. Sa main gauche l'accrocha, et il heurta le sol en tirant le fil. Ensuite...

Les grenades paralysantes sont souvent utilisées par le SAS. C'est un petit mécanisme bourré de poudre de magnésium et de fulminate de mercure. Lorsque le fil activa la grenade, le mercure explosa aussitôt. Alex fut non seulement assourdi par l'explosion mais secoué de toutes parts, comme si son cœur allait jaillir hors de sa poitrine. En même temps, le magnésium s'embrasa et brûla pendant dix longues secondes. La lumière était si aveuglante que fermer les yeux ne servait à rien. Il resta allongé sur le parquet, la tête entre les mains, incapable de bouger, attendant que cela finisse.

Mais cela ne finissait pas. Lorsque le magnésium eut fini de brûler, il lui sembla que toute lumière avait disparu. Il se releva en titubant, aveugle et sourd, sans plus savoir où il était. Il avait des nausées. La pièce tournoyait autour de lui. L'odeur âcre des produits chimiques imprégnait l'atmosphère.

Dix minutes plus tard, il sortit enfin à l'air libre en chancelant. Loup l'attendait avec les autres, impassible. Alex comprit que celui-ci avait filé avant même de le voir tomber. Le sergent avança, l'air furibond. Le garçon ne s'attendait pas à de la sympathie de sa part, et il ne fut pas déçu.

« Tu veux m'expliquer ce qui s'est passé, Louveteau ? » beugla-t-il.

Comme Alex ne répondait pas, il poursuivit :

« Tu as fait rater l'exercice. Tu as tout gâché. Tu pourrais faire sacquer toute l'unité. Alors je te conseille de me raconter ce qui a cloché. »

Il jeta un coup d'œil à Loup... qui regarda ailleurs. Que dire ? La vérité ?

« Alors ? insista le sergent.

— Rien, chef. Je n'ai pas regardé où je mettais les pieds, c'est tout. J'ai marché sur quelque chose et il y a eu une explosion.

— En situation réelle, tu serais mort. J'avais raison ! M'envoyer un môme était une absurdité. Surtout un môme stupide et maladroit qui ne regarde pas où il met les pieds ! »

Alex écouta sans réagir. Du coin de l'œil il vit Loup esquisser un sourire.

Le sergent le vit aussi.

« Tu trouves ça drôle, Loup ? Eh bien, va faire le ménage dans la maison. Et, ce soir, je vous conseille de vous reposer. Tous. Parce que demain vous faites une balade de quarante kilomètres, avec des rations de survie et pas de feu. Si vous survivez, alors vous aurez peut-être une raison de sourire. »

Vingt-quatre heures plus tard, Alex se souvenait encore de ses paroles. Il en avait passé onze debout, à suivre le chemin que le sergent lui avait indiqué sur sa carte. L'exercice avait commencé à six heures du matin, après un petit déjeuner de saucisses et de haricots. Loup et les autres l'avaient distancé depuis longtemps, malgré leurs vingt-cinq kilos de paquetage. On ne leur avait donné que huit heures pour faire le parcours. En raison de son âge, Alex avait eu droit à douze.

Il déboucha d'un dernier virage. Au milieu du chemin, quelqu'un se dressait devant lui. C'était le sergent. Il venait d'allumer une cigarette et Alex le vit ranger la boîte d'allumettes dans sa poche. La même rage et la même honte que la veille s'emparèrent de lui, et sapèrent ses dernières forces. Tout d'un coup il en eut assez de Blunt, de Mme Jones, de Loup, de toute cette mascarade. Dans un dernier effort, il parcourut la centaine de mètres qui le séparait du sergent et s'arrêta. La pluie et la sueur ruisselaient sur son visage. Ses cheveux, noircis par le fard de camouflage, étaient plaqués sur son front.

Le sergent regarda sa montre.

« Onze heures et cinq minutes. Pas mal, Louveteau. Mais les autres sont arrivés depuis quatre heures. »

« Tant mieux pour eux », songea-t-il.

« Tu devrais atteindre le dernier point de contrôle à temps, poursuivit-il. C'est juste là-haut. »

Il désigna un mur. Pas une pente. Un mur abrupt. Une paroi rocheuse de cinquante mètres de haut, sans prises apparentes pour les mains et les pieds. Alex sentit son estomac se contracter. Ian Rider l'avait emmené faire de l'escalade, en Écosse, en France, dans toute l'Europe. Mais jamais il ne s'était attaqué à une voie aussi difficile. Et jamais seul. Et jamais dans un tel état de fatigue.

« Je ne peux pas, dit-il simplement.

— Je n'ai pas entendu.

— Je ne peux pas le faire, chef. C'est impossible.

— Impossible est un mot qu'on n'utilise pas chez nous.

— Je m'en moque. J'en ai assez. J'en ai vraiment... »

Sa voix se brisa. Il préféra se taire. Glacé jusqu'aux os, vidé, il attendit le châtiment.

Le sergent l'examina pendant une longue minute, puis il hocha lentement la tête.

« Écoute-moi bien, Louveteau. Je sais ce qui s'est passé dans la maison de la Mort. »

Alex redressa la tête.

« Loup a oublié le circuit de télévision. Nous avons tout enregistré sur vidéo.

— Mais alors... pourquoi... ?

— Tu as porté plainte contre lui, Louveteau ?

— Non, chef.

— Tu veux porter plainte ? »

Un silence, puis :

« Non, chef.

— Bon. »

Le sergent montra du doigt la paroi rocheuse en suggérant une voie d'ascension, et poursuivit :

« C'est moins difficile qu'il y paraît. Les autres t'attendent au sommet. Tu vas avoir un bon dîner froid de rations de survie. Tu ne voudrais tout de même pas manquer ça ? »

Alex prit une profonde inspiration et se remit en marche. En passant devant le sergent, il trébucha et tendit la main pour se rattraper à lui.

« Excusez-moi, chef. »

Il lui fallut vingt minutes pour parvenir au sommet où, en effet, l'attendait l'unité K. Les hommes étaient accroupis autour de trois petites tentes qu'ils avaient montées dans l'après-midi. Une tente pour deux hommes, et la plus petite pour Alex.

Serpent, un type blond et mince qui parlait avec l'accent écossais, leva les yeux sur le garçon. Il tenait une gamelle de ragoût froid dans une main, une cuiller dans l'autre.

« Je ne pensais pas que tu y arriverais, Louveteau », dit-il.

Il crut déceler une note chaleureuse dans sa voix. Pour la première fois, on ne l'avait pas appelé Triple Zéro.

« Moi non plus », avoua Alex.

Loup était accroupi devant ce qu'il espérait voir devenir un feu de camp, et s'acharnait à l'allumer avec deux silex, sous le regard d'Aigle et de Renard. Il n'arrivait à rien. Les pierres produisaient de minuscules étincelles, et les morceaux de papier comme les feuilles étaient trop mouillés. Loup s'entêtait. Les autres l'observaient, l'air lugubre.

Alex sortit la boîte d'allumettes qu'il avait chapardée

71

dans la poche du sergent en faisant semblant de trébucher contre lui.

« Tenez, dit-il. Ça pourrait servir. »

Il leur lança la boîte d'allumettes et entra dans sa tente.

6

Les jouets ne sont
plus de mon âge

Dans le bureau de Londres, Mme Jones attendait qu'Alan Blunt ait fini de lire le rapport. Le soleil brillait. Un pigeon se promenait de long en large sur le rebord extérieur de la fenêtre comme s'il montait la garde.

« Il se débrouille très bien, conclut Blunt. Remarquablement bien, même. Mais je vois qu'il n'a pas suivi l'entraînement de tir, ajouta-t-il en tournant une page.

— Vous vouliez lui donner une arme ? s'étonna Mme Jones.

— Non. Je ne pense pas que ce soit une bonne idée.

— Alors pourquoi aurait-il eu besoin de suivre un entraînement de tir ? »

Blunt haussa un sourcil.

« On ne peut pas confier une arme à un adolescent. D'un autre côté, on ne peut pas non plus l'expédier à

Port Tallon les mains vides. Vous devriez en parler avec Smithers.

— C'est déjà fait. »

Mme Jones se leva pour partir. Arrivée à la porte, elle hésita :

« Avez-vous songé que Rider l'avait préparé à cela depuis toujours ?

— Que voulez-vous dire ?

— Que Ian Rider a préparé son neveu à prendre sa succession. Depuis que cet enfant est en âge de marcher, il est formé au métier de l'espionnage... mais sans le savoir. Il a vécu à l'étranger, ce qui lui permet de parler le français, l'allemand et l'espagnol en plus de l'anglais. Il a fait de l'escalade, de la plongée sous-marine, du ski. Et il a appris le karaté. Physiquement, il est dans une forme parfaite. Je crois que Rider voulait faire d'Alex un espion, conclut-elle.

— Mais pas si tôt.

— C'est juste. Alan, vous savez aussi bien que moi qu'il n'est pas encore prêt. Si nous l'envoyons chez Sayle, il va se faire tuer.

— Peut-être, admit Blunt, froid et réaliste.

— Il n'a que quatorze ans ! On ne peut pas faire ça.

— Il le faut. »

Il se leva pour aller ouvrir la fenêtre. L'air frais et le bruit de la circulation pénétrèrent dans la pièce. Effarouché, le pigeon s'envola.

« Cette affaire m'inquiète énormément, reprit Blunt. Le Premier ministre considère le Stormbreaker comme une aubaine, pour lui-même et son gouvernement. Mais il y a quelque chose chez ce Herod Sayle qui ne me plaît pas du tout. Vous avez parlé à Alex de Yassen Gregorovitch ?

— Non.

— Il est temps de le faire. C'est Yassen qui a tué son oncle. J'en suis certain. Et s'il travaillait pour Sayle...

— Que ferez-vous si Yassen tue Alex ?

— Ce n'est pas notre problème, madame Jones. Si le garçon se fait tuer, nous aurons la preuve définitive qu'il se passe des événements anormaux. Cela me permettra au moins de différer le projet Stormbreaker et de m'intéresser de très près à ce qui se passe à Port Tallon. Dans un sens, cela nous arrangerait qu'il se fasse tuer.

— Il n'est pas encore prêt. Il va commettre des erreurs. Les autres ne tarderont pas à découvrir qui il est, soupira Mme Jones. Je crois qu'Alex n'a aucune chance.

— Je suis d'accord avec vous », répondit Blunt en se détournant de la fenêtre.

Le soleil tombait à l'oblique sur son épaule. Une ombre lui voilait le visage.

« Il est trop tard pour s'inquiéter de ça maintenant, reprit-il. Nous n'avons plus le temps. Arrêtez son entraînement et expédiez-le sur place. »

Alex était assis, plié en deux, dans le fond de l'avion militaire C 130 volant à basse altitude. Il avait l'impression d'avoir l'estomac derrière les genoux. Douze hommes étaient assis sur deux rangs autour de lui : sa propre unité et deux autres. Depuis une heure l'avion volait à cent mètres au-dessus du sol, suivait les vallées galloises, plongeait et obliquait pour contourner les montagnes. Une simple ampoule rouge luisait derrière un filet métallique, ajoutant à la chaleur qui régnait dans la cabine. Alex ressentait la vibration des moteurs dans tout son corps. C'était un peu comme de voyager dans une sécheuse et un four à micro-ondes tout à la fois.

La pensée de sauter d'un avion, suspendu à un parachute en soie, l'aurait rendu malade de peur si, le matin même, on ne lui avait précisé qu'il ne sauterait pas. Un ordre de Londres. On ne voulait pas qu'il se casse une jambe. Alex en avait déduit que la fin de son entraînement approchait. Néanmoins on lui avait enseigné à plier un parachute, à le manœuvrer, à sauter d'un avion, à atterrir et, à la fin de la journée, le sergent lui avait ordonné de se joindre au vol, histoire d'observer comment cela se passait. Maintenant, à l'approche de la zone du saut, il était presque déçu. Il allait regarder sauter les autres et rester seul.

« H moins cinq... »

La voix du pilote, lointaine et métallique, grésilla dans les haut-parleurs. Alex serra les dents. Cinq minutes avant le saut. Il regarda les hommes qui se préparaient, qui vérifiaient la fixation de leur sangle d'ouverture automatique. Il était assis à côté de Loup. Celui-ci était étrangement silencieux. Dans la semi-pénombre, il était difficile de l'affirmer, mais l'expression de son visage ressemblait à de la peur.

Il y eut un bourdonnement et la lumière rouge passa

au vert. Le copilote était sorti du cockpit. Il ouvrit une porte au fond de l'avion. L'air froid s'engouffra dans la cabine. Alex aperçut un rectangle de nuit noire. Il pleuvait.

La lumière verte se mit à clignoter. Le copilote donna une tape sur les épaules des deux premiers hommes de la rangée. Ils avancèrent et se jetèrent dans le vide. Pendant un instant ils parurent figés dans le rectangle noir, puis ils disparurent, emportés par le vent comme une photographie froissée. Deux autres les suivirent. Puis deux autres encore. Et ainsi de suite, jusqu'à ce qu'il n'en reste que deux.

Alex regarda Loup, qui semblait s'affairer sur son équipement. Son équipier avança seul vers la porte sans qu'il paraisse le remarquer. L'autre sauta, et Alex resta seul avec Loup.

« Saute ! » hurla le copilote pour couvrir le bruit du moteur.

Il se leva. Son regard croisa brièvement celui d'Alex, et celui-ci comprit. Loup était un meneur d'hommes populaire. C'était un type dur et rapide, capable de parcourir quarante kilomètres comme si c'était une simple balade de santé. Mais il avait un point faible. Pour une raison inexplicable, le saut en parachute le terrifiait et il était incapable de faire un geste. C'était difficile à croire, pourtant il restait là, paralysé devant la porte, les membres raides, le regard fixe. Le copilote n'avait rien remarqué. Qu'arriverait-il quand il comprendrait ? Si Loup ne sautait pas, ce serait la fin de son entraînement, et peut-être de sa carrière. Une hésitation suffisait à vous disqualifier. Il serait sacqué.

Alex réfléchit très vite. Loup n'avait pas bougé. Le garçon voyait ses épaules se soulever comme s'il essayait de rassembler son courage. Dix secondes s'étaient écoulées. Peut-être plus. Le copilote s'affairait sur une pièce d'équipement. Alex se leva.

« Loup... »

Celui-ci ne l'entendit même pas.

Alex jeta un coup d'œil rapide au copilote qui leur tournait le dos, puis il donna de toutes ses forces un coup de pied dans les fesses de Loup. Il y mit tout son poids. Surpris, ce dernier lâcha la barre et plongea dans le vide.

Au même moment le copilote se retourna et vit Alex le pied en l'air.

« Qu'est-ce que tu fais ?

— Rien. Je me dégourdis les jambes. »

L'avion s'inclina sur le côté et fit demi-tour.

Mme Jones l'attendait lorsque Alex entra dans le hangar. Elle était assise à une table, vêtue d'un tailleur pantalon en soie grise, avec une pochette noire. Elle ne le reconnut pas tout de suite. Il portait une tenue de saut. Il avait les cheveux trempés par la pluie. Ses traits étaient creusés par la fatigue et il paraissait avoir vieilli. Aucun des hommes n'était encore rentré. Un camion était allé les rechercher dans un champ, à trois kilomètres de là.

« Alex ? » dit Mme Jones.

Il la regarda sans rien dire.

« C'est moi qui ai donné l'ordre de ne pas vous faire sauter. J'espère que vous n'êtes pas déçu. Je pensais que c'était trop risqué. Asseyez-vous, je vous prie. »

Alex s'assit en face d'elle.

« Je vous apporte des jouets qui vous amuseront peut-être.

— Les jouets ne sont plus de mon âge.

— Ceux-là, si. »

Elle fit un signe et un homme apparut, sortant de la pénombre. Il posa sur la table un plateau contenant divers objets. L'homme était fabuleusement gros. Quand il s'assit, le cadre métallique de la chaise disparut sous ses énormes fesses, et Alex s'étonna qu'elle résiste à son poids. Il était chauve, avec une moustache noire et toute une série de doubles mentons qui s'emboîtaient les uns dans les autres avant de se fondre dans son cou et ses épaules. Il était vêtu d'un complet rayé qui nécessitait autant de tissu que pour faire une tente.

« Smithers, s'annonça-t-il avec un signe de tête à Alex. Ravi de vous rencontrer, mon vieux.

— Qu'avez-vous pour lui, Smithers ? demanda Mme Jones.

— Nous avons manqué de temps, malheureusement, Madame J. Il nous a fallu imaginer ce que pouvait posséder un garçon de quatorze ans, et l'adapter. »

Il prit le premier objet sur le plateau. Un Yo-Yo, un peu plus grand que la normale, en plastique noir.

« Commençons par ceci », dit Smithers.

Alex secoua la tête, incrédule.

« Ne me dites pas que c'est une arme secrète !

— Pas exactement. On m'a dit que vous ne pouviez pas être armé. Vous êtes trop jeune.

— Alors ce n'est pas une grenade à main ? Du genre "je tire la ficelle et je file en courant" ?

— Absolument pas. C'est un Yo-Yo. »

Smithers saisit la ficelle entre son pouce et son index boudinés, et tira.

« En réalité, la ficelle est un fil de Nylon spécial. Très performant. Il mesure trente mètres et peut soulever un poids de cent kilos. Le Yo-Yo lui-même est motorisé et s'accroche à la ceinture. Très utile pour l'escalade.

— Amusant, dit Alex, guère impressionné.

— Et puis ceci, poursuivit Smithers en présentant un petit tube sur lequel était écrit : "Crème dermatologique contre l'acné". Ne vous vexez pas, mais nous avons pensé que c'est ce que pourrait utiliser un garçon de votre âge. C'est tout à fait remarquable. »

Smithers ouvrit le tube, le pressa, et fit sortir un peu de crème sur son doigt.

« Parfaitement inoffensif au contact de la peau. Mais, sur le métal, c'est une autre histoire. »

Il frotta son doigt sur la table. D'abord, rien ne se produisit. Puis une volute de fumée âcre s'éleva, le métal de la table grésilla et un trou apparut.

« Ça marche sur n'importe quel métal, expliqua Smithers. Très utile quand on veut forcer une serrure. »

Il sortit un mouchoir et s'essuya le doigt.

« Autre chose ? demanda Mme Jones.

— Oh oui, madame J. Voici notre plat de résistance, pourrait-on dire. »

Il prit une boîte aux couleurs vives, qu'Alex reconnut comme un coffret de Game Boy Color Nintendo.

« Quel adolescent n'a pas ça ? dit Smithers. Celui-ci possède quatre jeux. La beauté de la chose est que chacun transforme la console en un outil tout à fait différent. »

Il montra le premier jeu à Alex.

« Avec la cartouche Némésis, la console devient un photocopieur-fax, qui vous met en contact direct avec nous, et vice versa. Le deuxième, Exocet, transforme l'ordinateur en appareil à rayons X. Il a aussi une fonction audio. Les écouteurs permettent d'écouter aux portes. Il n'est pas aussi puissant que je le souhaiterais, mais nous y travaillons. Le troisième, Guerre Éclair, est un détecteur de micros cachés. Je vous suggère de l'utiliser dès que vous entrerez dans votre chambre. Et enfin... le Bombardier.

— Je suis obligé de m'en servir ? demanda Alex.

— Vous pouvez vous servir des quatre. Mais, comme le nom le suggère, celui-ci est une bombe fumigène. Vous laissez la cartouche de jeu dans une pièce et vous appuyez trois fois sur le bouton "Démarrer" de la console. Ça déclenche la bombe. Un camouflage très pratique si l'on doit déguerpir en vitesse.

— Merci, Smithers, dit madame Jones.

— C'était un plaisir pour moi, Mme J. »

Smithers se leva péniblement. Ses jambes faisaient un effort considérable pour supporter son poids.

« J'espère vous revoir, Alex, ajouta-t-il. Je n'avais encore jamais équipé un agent de votre âge. Je suis sûr que je pourrais inventer bien d'autres gadgets amusants. »

Il s'en alla d'une démarche pesante et disparut derrière une porte qui claqua derrière lui.

Mme Jones se tourna vers Alex et lui tendit un dossier.

« Vous partez demain pour Port Tallon. Vous vous présenterez sous le nom de Felix Lester. Nous avons expédié le véritable Felix Lester en vacances en Écosse. Dans ce dossier, il y a tout ce que vous avez besoin de savoir sur lui.

— Je le lirai dans mon lit.

— Bien. »

Soudain Mme Jones prit un air très grave. Alex se demanda si elle avait des enfants. Peut-être avait-elle un fils de son âge. Elle sortit une photo en noir et blanc et la posa sur la table. La photo représentait un homme jeune en jean et T-shirt blanc, âgé d'environ vingt-huit ans, avec des cheveux blonds coupés ras, un visage lisse et le corps d'un danseur. La photo était un peu floue. Sans doute prise de loin, par un appareil caché.

« Regardez bien cette photo, Alex.

— Je la regarde.

— Cet homme s'appelle Yassen Gregorovitch. Il est né en Russie mais travaille pour plusieurs pays. Il a été employé par l'Irak, la Serbie, la Libye et la Chine.

— Que fait-il ? » demanda-t-il.

Mais le visage froid et les yeux impénétrables laissaient deviner la réponse.

« C'est un tueur, Alex. Un exécuteur. Nous pensons qu'il a éliminé Ian Rider. »

Il y eut un long silence. Il examina la photo en essayant de graver le visage de l'homme dans son esprit.

« Ce cliché a été pris il y a six mois, à Cuba. C'est peut-être une coïncidence mais Herod Sayle s'y trouvait en même temps. Ils ont pu se rencontrer. Et il y a autre chose. Rider a utilisé un code dans le dernier message qu'il nous a envoyé. Une simple lettre. Y.

— Y pour Yassen.

— Ian a peut-être vu Yassen à Port Tallon. Il voulait que nous le sachions.

— Pourquoi me dire tout ça maintenant ?

— Parce que si vous le voyez, si Yassen se trouve chez Sayle, je veux le savoir immédiatement.

— Et ensuite ?

— On vous fera sortir. Si Yassen découvre que vous travaillez pour nous, il vous tuera aussi. »

Alex sourit.

« Je suis trop jeune pour l'intéresser.

— Non, dit Mme Jones en reprenant la photo. Souvenez-vous bien de ceci, Alex Rider. On n'est jamais trop jeune pour mourir. »

Il se leva.

« Vous partez demain matin à huit heures, ajouta-t-elle. Soyez prudent, Alex. Et bonne chance. »

Il traversa le hangar. Ses pas résonnaient. Derrière lui, Mme Jones défit un bonbon à la menthe et le glissa dans sa bouche. Son haleine sentait toujours la menthe. En tant que chef des opérations spéciales, combien d'hommes avait-elle envoyés à la mort ? Ian Rider et peut-être des douzaines d'autres. Peut-être était-ce plus facile pour elle si son haleine était fraîche et sucrée ?

Il y avait de l'agitation devant lui. Les parachutistes étaient rentrés. Ils sortaient de l'obscurité et avançaient dans sa direction, Loup et les hommes de l'unité K en tête. Alex voulut les contourner mais Loup lui barra le chemin.

« Il paraît que tu t'en vas ? »

Sans doute avait-il entendu parler de l'arrêt de l'entraînement.

« Oui. »

Il y eut un silence, puis il reprit :

« Qu'est-ce qui s'est passé dans l'avion ?

— Oublie ça, Loup. Il ne s'est rien passé. Tu as sauté, pas moi. Un point c'est tout. »

Loup lui tendit la main.

« Il faut que je te dise... Je me suis trompé sur ton compte. Je regrette de t'en avoir fait baver. Tu es un gars bien. Et peut-être... Je serais content de travailler avec toi un jour.

— Qui sait ? »

Ils se serrèrent la main.

« Bonne chance, Louveteau.

— Au revoir, Loup. »

Alex s'éloigna dans la nuit.

7

Physalie

La Mercedes SL 600 roulait sur l'autoroute en direction du sud. Alex était assis à l'avant, sur un siège de cuir si moelleux qu'il entendait à peine le moteur six litres de trois cent quatre-vingt-neuf chevaux qui le propulsait vers l'usine Sayle près de Port Tallon, en Cornouailles. Il faut dire qu'à cent vingt kilomètres à l'heure, le puissant moteur tournait au ralenti. À la moindre sollicitation de l'austère et maigre chauffeur, la Mercedes bondirait. À cette vitesse limitée, elle ronronnait.

On était venu le chercher le matin même à Hampstead, dans le nord de Londres. C'était là que Felix Lester habitait. Quand la Mercedes était arrivée, Alex attendait avec son bagage. Une femme – agent du MI 6 – l'avait embrassé tendrement en lui recommandant de bien se laver les dents, et lui avait fait des signes d'adieu sur le trottoir. Pour le chauffeur de la Mercedes, Alex était Felix. Le matin même, il avait lu son dossier et avait ainsi appris que Félix fréquentait le collège St. Anthony, qu'il avait deux sœurs et un labrador. Son père était architecte, sa mère créatrice de bijoux. Une famille heureuse. *Sa* famille.

« C'est loin, Port Tallon ? »

Jusqu'alors, le chauffeur avait à peine desserré les dents. Il lui répondit sans même lui jeter un coup d'œil :

« Quelques heures de route. Un peu de musique ?

— Vous avez John Lennon ? »

Il avait d'autres goûts musicaux mais, selon le dossier, Felix Lester était un fan de John Lennon.

« Non.

— Tant pis. Je vais dormir un peu. »

Alex avait besoin de sommeil. Il ressentait encore la fatigue de son entraînement et se demandait comment il expliquerait ses hématomes et diverses coupures si jamais quelqu'un le voyait déshabillé. Une bagarre à l'école, peut-être. Il ferma les yeux et s'enfonça dans le cuir souple et le sommeil.

C'est la sensation du ralentissement de la voiture qui l'éveilla. Il ouvrit les yeux et vit un village de pêcheurs, la mer bleue, des collines verdoyantes et un ciel sans nuage. On aurait dit un puzzle ou une brochure touristique vantant une Angleterre oubliée. Des mouettes tournoyaient en criaillant. Un vieux remorqueur à la peinture écaillée accostait au quai. Quelques autochtones, des pêcheurs et leurs femmes, le regardaient s'amarrer. Il était cinq heures de l'après-midi et le petit port était enveloppé par la fragile lumière argentée qui achevait une journée ensoleillée de printemps.

« Port Tallon, annonça le chauffeur, qui avait dû voir Alex se réveiller.

— C'est charmant.

— Pas si on est un poisson. »

Ils quittèrent le village vers l'intérieur des terres, sur une route qui serpentait entre des champs curieusement bosselés. Alex aperçut des bâtisses en ruine, des cheminées à demi écroulées, des roues de fer rouillées, et comprit qu'il s'agissait d'une ancienne mine d'étain. Pendant trois cents ans on avait extrait le minerai en Cornouailles, jusqu'à l'épuisement du gisement. Il ne subsistait que les puits.

Au bout de deux kilomètres, le long de la petite route, surgit une clôture métallique flambant neuve d'une dizaine de mètres de haut, surmontée de barbelés. Il y avait des lampes à arc perchées sur des miradors, à intervalles réguliers, et d'immenses panneaux rouge et blanc, tellement immenses qu'on devait pouvoir les lire depuis le comté voisin.

SAYLE ENTREPRISES
PROPRIÉTÉ PRIVÉE

« Défense d'entrer sous peine de mort », marmonna Alex entre ses dents. Il se rappelait les paroles de Mme Jones : « Sayle possède plus ou moins sa propre armée. Il agit comme s'il avait quelque chose à cacher. » Eh bien, sa première impression le confirmait ! Le site avait quelque chose de choquant, d'incongru au milieu des collines et des prés.

La voiture arriva devant l'entrée, dotée d'une guérite et d'une barrière électronique. Un garde en uniforme bleu et gris, avec le sigle S.E. imprimé sur la veste, leur fit signe de passer. La barrière se leva automatiquement. Ils suivirent une longue route rectiligne traversant un terrain qui semblait avoir été aplani, avec une piste d'atterrissage d'un côté et un groupe de quatre immeubles ultramodernes de l'autre. Les bâtiments étaient grands, en acier et verre fumé, et reliés entre eux par un passage vitré. Deux appareils stationnaient près de la piste d'atterrissage : un hélicoptère et un petit avion cargo. Alex fut impressionné. L'ensemble du site devait couvrir cinq kilomètres carrés. Un sacré domaine.

La Mercedes arriva à un rond-point orné d'une fontaine, le contourna et poursuivit jusqu'à une vaste et fantastique demeure. De style victorien, avec des murs en brique surmontés de dômes et de flèches dont la teinte cuivrée avait viré au vert. Il y avait au bas mot soixante fenêtres sur les cinq niveaux qui faisaient face à la route. Le genre de maison qui semble ne jamais devoir finir...

La Mercedes s'immobilisa devant l'entrée principale et le chauffeur descendit.

« Suis-moi.

— Et mes bagages ?

— On s'en occupera. »

Alex le suivit dans un grand hall dominé par un

gigantesque tableau du XVIᵉ siècle représentant le Jugement dernier – autrement dit la fin du monde –, avec
une masse grouillante d'âmes damnées et de démons. Il
y avait des œuvres d'art partout. Des aquarelles et des
peintures à l'huile, des gravures, des dessins, des sculp-
tures en pierre et en bronze, amoncelés dans tous les
coins, si bien que l'œil ne pouvait se reposer nulle part.
Le tapis était si épais qu'Alex avait l'impression de
rebondir. Il commençait à souffrir de claustrophobie et
respira plus facilement lorsqu'ils débouchèrent dans
une vaste pièce presque nue.

« M. Sayle ne va pas tarder », dit le chauffeur avant
de partir.

Resté seul, Alex regarda autour de lui. C'était une
pièce moderne, avec un bureau incurvé en acier placé
au centre, des lampes halogènes ingénieusement dispo-
sées, et un escalier métallique en colimaçon qui perçait
le plafond en un cercle parfait. Un panneau de verre
occupait un pan de mur entier. En s'approchant, il
s'aperçut qu'il s'agissait d'un gigantesque aquarium. La
taille seule en était fascinante. Il était difficile d'imaginer combien de milliers de litres d'eau il pouvait conte-
nir. Le plus étonnant était qu'il était presque vide. Il y
avait assez de place pour qu'un requin s'y ébatte à l'aise
et, pourtant, il n'y avait pas un seul poisson.

Mais, tout à coup, quelque chose bougea dans les
profondeurs turquoise. Bouche bée, partagé entre
l'émerveillement et l'horreur, Alex découvrit la plus
monstrueuse des méduses. Le corps de la bête était une
masse scintillante et palpitante mauve et blanc, qui avait

vaguement la forme d'un cône. Dessous, des tentacules d'au moins dix mètres de longueur, couverts de sorte de petits dards, ondulaient dans l'eau. Quand la méduse se déplaçait, ou dérivait à cause d'un courant artificiel, ses tentacules glissaient contre le panneau de verre et on avait l'impression qu'elle essayait de sortir. C'était la créature la plus hideuse et répugnante qu'Alex ait jamais vue.

« Physalie », dit une voix derrière lui.

Il se retourna et vit un homme qui descendait les dernières marches de l'escalier en colimaçon.

Herod Sayle était petit. Si petit qu'Alex eut d'abord l'impression de regarder un reflet dans un miroir déformant. Avec son luxueux costume noir, sa chevalière en or et ses chaussures noires vernies, il avait l'air d'un milliardaire en modèle réduit. Il avait la peau mate, des dents éclatantes, une tête ronde et chauve, et des yeux horribles. L'iris gris était trop petit dans le blanc globuleux. Il faisait penser à un têtard avant l'éclosion. Lorsque Sayle fut devant lui, son regard se trouva presque au niveau de celui d'Alex. Il était encore plus antipathique que la méduse.

« Son nom vulgaire est "galère portugaise" », poursuivit Sayle.

Il avait un accent épais, qui lui venait sans doute du souk de Beyrouth.

« Elle est belle, vous ne trouvez pas ?

— Ce n'est pas ce que je choisirais comme animal de compagnie.

— J'ai pêché celle-ci en faisant de la plongée dans la mer de Chine. »

Sayle montra du doigt une vitrine où étaient exposés des harpons et une collection de couteaux dans des écrins de velours.

« J'adore tuer les poissons. Mais quand j'ai vu ce spécimen de physalie, j'ai compris que je devais la capturer et la conserver. Je trouve qu'elle me ressemble.

— La méduse contient quatre-vingt-dix pour cent d'eau. Elle n'a pas de cerveau, pas de viscères et pas d'anus », dit Alex sans réfléchir, en se souvenant d'avoir lu ça quelque part.

Sayle lui jeta un coup d'œil rapide, puis revint au monstre dans son aquarium.

« La physalie est une marginale, poursuivit-il. Elle se déplace seule, ignorée des autres poissons. Elle est silencieuse et pourtant impose le respect. Vous voyez les cnidocystes, monsieur Lester ? Ces cellules urticantes que possèdent certaines méduses sur leurs tentacules... Leur poison procure une mort exquise.

— Appelez-moi Alex », dit Alex.

Ça lui avait échappé. C'était l'erreur la plus stupide, la plus naïve qu'il ait pu commettre. Mais il avait été décontenancé par l'apparition de Sayle et par la danse lente et hypnotique de la méduse.

Les yeux gris cillèrent.

« Je croyais que tu t'appelais Felix ?

— Mes amis me surnomment Alex.

— Pourquoi ?

— À cause d'Alex Ferguson, le footballeur. Je suis un fan de Manchester United. »

C'était la première chose qui lui était venue à l'esprit. Mais il avait vu un poster de football dans la chambre de Felix Lester et au moins ne s'était-il pas trompé d'équipe.

Sayle sourit.

« Très amusant. Bon, d'accord pour Alex. Eh bien, Alex, j'espère que nous deviendrons amis ! Tu as beaucoup de chance. Tu as gagné le concours et tu seras le premier adolescent à essayer mon Stormbreaker. Mais c'est aussi une chance pour moi. Je veux savoir ce que tu en penses. Que tu me dises ce que tu aimes... et ce que tu n'aimes pas. »

Il détourna les yeux et redevint soudain l'homme d'affaires qu'il était.

« Nous n'avons plus que trois jours avant le lancement. Et nous ferions bien de faire *fissa*, comme disait mon père. On va te conduire à ta chambre et, demain, à la première heure, tu te mettras au travail. Il y a un programme de mathématiques à tester, et un autre de langues. Le logiciel a été élaboré ici. Bien entendu nous avons eu des entretiens avec des enfants. Nous avons consulté des enseignants, des spécialistes de l'éducation. Mais toi, mon cher... Alex, tu es plus important à mes yeux que tous les autres réunis. »

À mesure qu'il parlait, Sayle s'animait, emporté par son enthousiasme. Il était métamorphosé. Alex l'avait trouvé antipathique dès le premier regard. La méfiance de Blunt et du MI 6 ne l'étonnait pas. Mais il ne devait pas en rester à sa première impression. Il avait devant lui l'homme le plus riche d'Angleterre, un homme qui avait décidé, par bonté d'âme, d'offrir un cadeau inestimable aux écoles britanniques. Qu'il soit petit et visqueux ne faisait pas obligatoirement de lui un dangereux ennemi. Blunt pouvait se tromper.

« Ah, voilà notre homme ! s'exclama Sayle. *Fissa !* »

Un homme venait d'entrer, vêtu d'une queue-de-pie vieillotte de majordome. Aussi grand et mince que son maître était petit et rond, avec une tignasse rousse sur un visage blanc comme du papier. De loin, il avait l'air de sourire mais, en le voyant de près, Alex sursauta. Le majordome avait des cicatrices atroces, de chaque côté de la bouche, qui remontaient vers les oreilles. On aurait cru que quelqu'un avait voulu lui fendre la tête en deux. Les cicatrices étaient d'une teinte violacée répugnante. D'autres balafres plus petites avaient été recousues sur ses joues.

« Voici M. Rictus, dit Sayle. Il a changé de nom après son accident.

— Un accident ? répéta Alex qui avait du mal à détourner les yeux des cicatrices.

— M. Rictus travaillait dans un cirque. Il participait à un nouveau numéro de lancer de couteaux. Il devait rattraper le poignard entre ses dents. Un soir, sa vieille mère est venue assister au spectacle. Elle lui a fait signe de son siège au premier rang, et ça lui a fait perdre sa concentration. Il travaille pour moi depuis une douzaine d'années. Malgré son aspect déplaisant, c'est un homme loyal et efficace. N'essaie pas de parler avec lui. Il n'a plus de langue.

— Heurrrr ! dit M. Rictus.

— Ravi de faire votre connaissance, répondit Alex.

— Conduisez ce garçon à la chambre bleue », ordonna Sayle.

Puis, se tournant vers Alex, il ajouta :

« Tu as de la chance, c'est l'une de nos plus jolies chambres et elle vient d'être libérée. Elle était occupée par un agent de sécurité qui nous a quittés subitement.

— Ah oui ? Et pourquoi ? demanda Alex d'un air détaché.

— Je l'ignore. Il a disparu brusquement. J'espère que tu ne feras pas comme lui, Alex, ajouta-t-il en souriant.

— Arrr...iiii ! » éructa M. Rictus en faisant un geste vers la porte.

Alex laissa Herod Sayle en compagnie de sa monstrueuse méduse et quitta la pièce.

Il suivit le majordome dans un couloir orné d'autres œuvres d'art, puis dans un escalier, puis dans un autre couloir, très large, avec d'épaisses portes de bois et des lustres. Alex en conclut que cette demeure victorienne était réservée au logement. Herod Sayle devait lui-même y habiter. Les ordinateurs étaient sans doute fabriqués dans les bâtiments neufs qu'il avait vus près du terrain d'atterrissage. C'est là qu'on le conduirait probablement le lendemain.

Sa chambre était située tout au bout d'un couloir. C'était une vaste pièce, avec un lit à baldaquin et une fenêtre qui donnait sur la fontaine. Le soir était tombé et l'eau de la fontaine, qui retombait d'une dizaine de mètres en cascade sur une statue dénudée ressemblant de façon saisissante à Herod Sayle, était illuminée par une dizaine de projecteurs cachés. Près de la fenêtre, sur la table, un dîner l'attendait : jambon, fromage, salade. Son sac de sport Nike était posé sur le lit.

Il s'en approcha et l'examina. Au moment de le fermer, il avait glissé trois cheveux dans les dents de la fermeture à glissière. Ils n'y étaient plus. Il l'ouvrit. Tout était exactement à la même place, mais il était certain qu'on l'avait fouillé méthodiquement.

Il sortit la Game Boy Color, y inséra la cartouche Guerre Éclair, et pressa le bouton de démarrage trois fois. Aussitôt l'écran s'éclaira d'un rectangle vert, de la même forme que la chambre. Il leva la Game Boy et la fit tourner autour de lui en suivant les murs. Un point rouge clignotant apparut soudain sur l'écran. Alex marcha dans la direction indiquée en tenant la console devant lui. Le point rouge clignota plus vite et avec plus d'intensité. Il arriva devant un tableau accroché au mur à côté de la porte de la salle de bains, représentant un enchevêtrement de couleurs qui évoquait de façon assez suspecte un Picasso. Il posa la Game Boy et souleva le tableau avec précaution. Le micro était fixé derrière : un petit disque de la taille d'une pièce de dix pence. Alex l'examina pendant une minute en se demandant pourquoi on avait placé un micro à cet endroit. Mesure de sécurité ? Ou bien Sayle avait-il un tel besoin maniaque de tout surveiller qu'il lui fallait connaître les faits et gestes de ses invités à chaque minute du jour et de la nuit ?

Il remit le tableau en place. Il n'y avait qu'un seul micro dans la chambre. Et aucun dans la salle de bains.

Il dîna, prit une douche et s'apprêta à se coucher. En passant devant la fenêtre, il remarqua une certaine activité aux abords de la fontaine. Des fenêtres étaient éclairées dans les bâtiments modernes. Trois hommes vêtus de combinaisons blanches roulaient dans une Jeep vers la maison. Deux autres passaient à pied : des gardes de la sécurité portant le même uniforme que celui de l'entrée. Tous deux avaient des fusils semi-automatiques. Ce n'était pas seulement une armée privée que possédait Sayle, mais une armée superéquipée.

Alex se coucha. La dernière personne à avoir dormi dans ce lit était son oncle. Ian avait-il vu quelque chose par la fenêtre ? Qu'avait-il découvert qui avait décidé quelqu'un à le tuer ?

Alex mit longtemps à trouver le sommeil dans le lit du mort.

8

Quand on cherche les ennuis...

Alex l'aperçut dès qu'il ouvrit les yeux. C'était visible pour toute personne allongée sur le lit, mais bien entendu nul n'y avait dormi depuis la mort de Ian. Un triangle de papier blanc dépassait du baldaquin au-dessus de sa tête. Il fallait être couché pour le voir.

Le papier était difficile à atteindre. Alex dut poser une chaise en équilibre sur le matelas et grimper dessus. Elle vacilla, il faillit tomber mais parvint finalement à saisir le coin du papier et le tira.

En fait c'était une feuille pliée en deux. On y avait tracé un dessin étrange, avec ce qui ressemblait à un numéro de référence.

C'était peu, mais cela suffit à Alex pour reconnaître l'écriture de Ian. Qu'est-ce que cela voulait dire ? Il enfila ses vêtements, s'installa à la table et sortit une

feuille de papier blanc sur laquelle il écrivit un bref message en lettres capitales.

TROUVÉ CECI DANS LA CHAMBRE DE IAN RIDER.
POUVEZ-VOUS LE DÉCHIFFRER ?

Ensuite il sortit la Game Boy, y inséra la cartouche Némésis, l'alluma et fit glisser l'écran sur les deux feuilles de papier pour scanner son message puis le dessin. Il savait que, instantanément, une machine allait s'activer dans le bureau de Mme Jones à Londres et imprimer les deux pages. Peut-être parviendrait-elle à décrypter le rébus ? Après tout elle travaillait pour l'*Intelligence... Service*[1] !

Alex éteignit la console, ôta le capot arrière et cacha le papier plié dans le compartiment de la batterie. Le schéma devait être important puisque Ian avait pris soin de le dissimuler. Peut-être était-ce ce qui lui avait coûté la vie.

On frappa à la porte. Il alla ouvrir. M. Rictus se

---

1. Nom donné aux services secrets britanniques.

dressa devant lui, toujours vêtu de son uniforme de majordome.

« Bonjour, dit Alex.

— Honrrrch ! » répondit l'homme en lui faisant signe de le suivre.

Alex le suivit donc dans le couloir et ils sortirent de la maison. L'air frais, loin de toutes ces œuvres d'art, lui fit du bien. Alors qu'ils s'arrêtaient devant la fontaine retentit soudain le vrombissement d'un avion cargo qui piquait du nez au-dessus du toit de la maison pour atterrir sur la piste.

« Heeeehorrr, dit M. Rictus.

— Je trouve aussi », dit Alex.

Ils atteignirent le premier des bâtiments modernes et le majordome posa la paume de sa main contre un rectangle de verre placé à côté de la porte. Une lumière verte indiqua que l'appareil lisait ses empreintes et, un instant après, la porte s'ouvrit sans bruit.

De l'autre côté, tout était différent. Après les œuvres d'art et l'élégance de la maison, Alex eut l'impression de sauter dans le siècle suivant. De longs corridors blancs avec un sol métallique, des lampes halogènes, la fraîcheur artificielle de l'air conditionné. Un autre monde. Une femme aux épaules larges et aux cheveux blonds serrés dans un chignon étriqué les attendait. Elle avait un visage lunaire étrangement blanc, des lunettes cerclées de métal, et aucun maquillage hormis un rouge à lèvres jaune. Elle portait une blouse blanche avec son nom étiqueté sur la poche de poitrine : Rami.

« Tu dois être Felix, dit-elle avec un lourd accent allemand. Ou plutôt... Alex, c'est bien ça ? Oui, Alex. Je me présente : Fraülein Rami. Tu peux m'appeler Nadia. »

Elle adressa un sourire à M. Rictus et ajouta :

« Je l'emmène avec moi. »

Le majordome hocha la tête et sortit.

« Par ici, reprit Fraülein Rami. Nous avons quatre bâtiments. Le bâtiment A, où nous sommes maintenant, est réservé à l'administration et aux loisirs. La conception des logiciels se trouve dans le bâtiment B. La recherche et les entrepôts dans le bâtiment C. La chaîne de montage du Stormbreaker dans le bâtiment D.

— Et le petit déjeuner ? demanda Alex.

— Tu n'as pas mangé ? Je vais te faire apporter un sandwich. Herr Sayle est impatient de te voir commencer les tests. »

Elle avait une démarche de militaire : le dos droit, les pieds (chaussés de souliers noirs) qui claquaient sur le sol. Alex la suivit dans une pièce carrée et nue, meublée d'une table et d'une chaise. Sur la table trônait le premier Stormbreaker qu'il voyait de ses yeux.

C'était un appareil magnifique. L'IMac était peut-être un ordinateur design, mais le Stormbreaker le surpassait de très loin. Entièrement noir, à l'exception de l'éclair blanc sur un côté. L'écran évoquait un hublot donnant sur l'espace intersidéral. Alex s'assit et l'alluma. Il démarra aussitôt. Un éclair animé scintilla sur un tourbillon de nuages, puis le sigle de Sayle Entreprises se forma. Quelques secondes plus tard apparut le menu, avec des icones « maths », « sciences », « français », etc., prêtes à l'accès. Même en quelques brèves secondes, il put sentir la puissance du microprocesseur. Et toutes les écoles du pays allaient en posséder un ! Herod Sayle méritait l'admiration. C'était un cadeau somptueux.

« Je te laisse, dit Fraülein Rami. Il vaut mieux que tu explores tout seul notre Stormbreaker. Ce soir, tu dîneras avec Herr Sayle et tu lui diras ce que tu en penses.

— Oui, avec plaisir.

— Je te fais apporter un sandwich. Mais je te demande de ne pas quitter la pièce. Tu comprendras que nous avons des mesures de sécurité à respecter.

— Comme vous voudrez, madame Rami. »

Elle sortit. Alex ouvrit l'un des programmes et, pendant les trois heures suivantes, il se perdit dans les logiciels fabuleux du Stormbreaker. Il ignora même le sandwich qu'on lui apporta et le laissa se dessécher sur l'assiette. Jamais il n'aurait supposé que le travail scolaire puisse être aussi amusant, mais il devait reconnaître que l'ordinateur rendait attrayantes les choses les plus assommantes. Le programme d'histoire faisait vivre la bataille d'Angleterre comme si on y était, avec de la musique et des séquences vidéo. Comment extraire l'eau de l'oxygène ? Le programme de sciences le démontrait sous vos yeux. Le Stormbreaker parvenait même à rendre la géométrie presque supportable, exploit que M. Donovan, au collège Brookland, n'avait jamais réalisé.

Quand Alex regarda sa montre, il était treize heures. Il avait passé plus de quatre heures devant l'ordinateur.

Il se leva et s'étira. Nadia Rami lui avait dit de ne pas quitter la pièce, mais si Sayle Entreprises recelait des secrets, ce n'était pas ici qu'il les trouverait. Il s'approcha de la porte et fut surpris de voir qu'elle s'ouvrait toute seule. Le couloir était désert. C'était le moment d'agir.

Bâtiment A : administration et loisirs. Alex passa devant plusieurs bureaux avant d'arriver dans une cafétéria dallée de blanc, au décor impersonnel. Une quarantaine d'hommes et de femmes, tous en blouse blanche et badge à leur nom, bavardaient avec animation en déjeunant. Il avait choisi la bonne heure. Il ne croisa personne et s'engagea dans un passage en Plexiglas conduisant au bâtiment B. Là, il y avait des écrans d'ordinateur partout, qui scintillaient dans des bureaux surchargés de papiers et d'imprimantes. Conception de logiciels. Dans le bâtiment C, consacré à la recherche, il déboucha dans une bibliothèque où s'alignaient à l'infini des étagères de livres et de CD-ROM. Alex se dissimula derrière des rayonnages pour laisser passer deux techniciens en blouse blanche absorbés par une conversation animée. Il était hors des limites autorisées, livré à lui-même, et sans la moindre idée de ce qu'il cherchait. Des ennuis probablement. Quoi d'autre ?

Il se dirigea silencieusement, d'un air détaché, vers le dernier bâtiment. Des voix lui parvinrent. Il s'enfonça vivement dans un recoin, et se tapit derrière une petite fontaine d'eau potable. Deux hommes et une femme vêtus de l'inévitable blouse blanche passèrent sans le voir. Ils discutaient de serveurs Web. Au plafond, Alex remarqua une caméra de surveillance qui pivotait vers lui. Dans cinq secondes elle l'épinglerait, mais il devait attendre que les techniciens se soient éloignés avant de filer pour échapper au grand-angle de l'objectif.

Avait-il été repéré ? Difficile de l'affirmer. Mais il était sûr d'une chose : le temps pressait. Peut-être Fraülein Rami était-elle déjà venue le voir. Peut-être quelqu'un lui avait-il apporté à déjeuner et avait-il trouvé le bureau vide. S'il devait découvrir quelque chose, il fallait faire vite...

Il s'engagea dans le passage vitré qui reliait le bâtiment C au bâtiment D. Celui-ci était différent des précédents. Le couloir se divisait en deux, avec un escalier métallique qui descendait dans ce qui devait être une sorte de cave. De plus, alors que jusqu'ici tous les secteurs et toutes les portes portaient des indications, l'escalier n'en portait aucune, et la lumière s'arrêtait à la moitié des marches. On aurait dit que celles-ci s'efforçaient de passer inaperçues.

Un bruit de pas résonna. Alex recula précipitamment. Un instant plus tard, M. Rictus surgit du sol comme un vampire avec une tête des mauvais jours. Quand son visage blafard émergea à la lumière du soleil, il cligna des yeux plusieurs fois et ses cicatrices se tordirent. Il se dirigea vers le bâtiment D.

Qu'était-il allé faire en bas ? Où menait cet escalier ? Alex descendit les marches. Il eut l'impression d'entrer dans une morgue. L'air conditionné était tellement glacial qu'il sentit sa sueur geler sur son front et ses paumes.

L'escalier débouchait dans un autre long couloir qui s'enfonçait sous le bâtiment du côté d'où Alex était arrivé. Mais une chose étrange le frappa : les murs semblaient inachevés. C'étaient des parois de roche brute, veinées d'étain ou d'un autre métal. Le sol aussi était taillé dans la roche, et l'éclairage se réduisait à de simples ampoules nues, suspendues à un fil. Cela lui rappela vaguement quelque chose. Mais quoi ?

Le couloir menait à une porte qui avait l'air d'être condamnée, et cela depuis très longtemps. Comme l'escalier, elle ne portait aucune indication. Elle paraissait trop petite pour avoir une importance quelconque, et pourtant M. Rictus venait de là. C'était la seule issue. La porte menait donc forcément quelque part !

Alex s'en approcha et essaya la poignée. Bloquée. Il pressa son oreille contre le panneau de fer. Rien. À moins que... Était-ce son imagination ? Il crut percevoir une sorte de martèlement, de pulsation. Un peu comme le bruit d'une pompe ou quelque chose de ce genre. Il aurait donné n'importe quoi pour voir ce qu'il y avait derrière. Soudain il réalisa que c'était possible. La Game Boy était dans sa poche. Il la sortit, y inséra la cartouche Exocet, l'alluma, et la plaqua contre la porte.

L'écran s'anima. Une petite fenêtre à travers le panneau de fer ! Alex vit une vaste salle, au milieu de laquelle se trouvait un engin très haut, en forme de tonneau. Et des gens. Sur l'écran ils ressemblaient à des fantômes et se déplaçaient de long en large. Certains portaient des objets plats et rectangulaires. Des plateaux ? Sur un côté il semblait y avoir une table, surchargée d'appareils qu'il ne parvenait pas à identifier. Il appuya sur le bouton « lumière » pour essayer de faire un zoom. Mais la salle était trop vaste, et tout était trop loin.

Alex fouilla dans sa poche et en sortit les écouteurs. Tenant toujours la Game Boy contre la porte, il brancha le fil et mit le casque sur sa tête. S'il ne pouvait voir distinctement, au moins pourrait-il peut-être entendre. En effet il entendit des voix, lointaines mais audibles grâce au puissant amplificateur :

« ... en place. Nous avons vingt-quatre heures.

— Ce n'est pas assez.

— C'est tout ce que nous avons. Ils viennent cette nuit. À deux heures. »

Alex ne reconnut aucune des voix. Amplifiées par le petit appareil, on aurait dit une conversation téléphonique longue distance sur une ligne défectueuse.

« ... Rictus... surveille la livraison.

— C'est quand même très court. »

Les voix cessèrent. Alex essaya de donner un sens à ce qu'il venait d'entendre. Quelque chose allait être livré. À deux heures du matin. M. Rictus s'occupait de la livraison.

Mais quoi ? Pourquoi ?

Il venait d'éteindre la Game Boy et de la ranger dans sa poche lorsqu'il entendit juste derrière lui le grincement d'une chaussure. Il n'était plus seul. Il se retourna et se trouva nez à nez avec Nadia Rami. Manifestement elle était venue l'espionner. Elle savait qu'il descendrait ici.

« Que fais-tu ici, Alex ? demanda-t-elle d'une voix mielleuse.

— Rien.

— Je t'avais dit de ne pas quitter le bureau.

— Oui, mais j'y suis resté toute la matinée. J'avais besoin d'une pause.

— Et tu es descendu ici ?

— J'ai vu l'escalier et j'ai pensé qu'il conduisait aux toilettes. »

Il y eut un long silence. Derrière lui, il entendait encore – ou plutôt il devinait – la pulsation dans la salle secrète. Fraülein Rami hocha la tête comme si elle avait décidé de le croire.

« Il n'y a rien, ici, dit-elle. Cette porte mène simplement à la salle du générateur. Viens. Je te ramène à la maison. Ensuite tu te prépareras pour le dîner avec Herr Sayle. Il veut connaître tes premières impressions sur le Stormbreaker. »

Alex revint avec elle vers l'escalier. Deux choses étaient sûres. Un : Nadia Rami mentait. Ce n'était pas la salle du générateur. Deux : elle cachait quelque chose. Et puis, surtout, elle ne l'avait pas cru. L'une des caméras l'avait sans doute repéré et on l'avait envoyée le chercher. Donc elle savait qu'il lui mentait.

Ça commençait mal.

Alex gravit l'escalier et retrouva la lumière du jour. Il sentait les yeux de Fraülein Rami lui transpercer le dos comme des poignards.

9

Les visiteurs du soir

Herod Sayle jouait au *snooker*[1] lorsque Alex fut introduit dans la salle de la méduse. Il était difficile de dire
d'où avait surgi la lourde table de billard en bois, et il
ne put s'empêcher de trouver que le petit homme avait
l'air un peu ridicule et presque perdu au bout du tapis
vert. M. Rictus était avec lui et portait un tabouret bas
sur lequel se juchait Sayle chaque fois qu'il jouait. Sans
cela il n'aurait pu atteindre les billes.

« Ah... bonsoir, Felix. Pardon, je veux dire Alex ! Tu
joues au *snooker*, Alex ?

— Ça m'arrive.

— Tu aimerais jouer contre moi ? Il ne reste que

---

1. Le *snooker* se joue sur une table de billard anglaise, avec des trous (poches
ou blouses) dans lesquels les joueurs doivent positionner et faire tomber les billes
de couleurs et de valeurs différentes.

deux billes rouges, et les couleurs bien sûr. Mais je voudrais miser. Je parie que tu ne marqueras pas un seul point.

— Combien voulez-vous parier ?

— Ha ! ha ! ha ! s'esclaffa Sayle. Disons... dix livres[1] le point ?

— Tant que ça ?

— Pour un homme tel que moi, dix livres sterling ce n'est rien. Rien du tout ! Je pourrais même miser cent livres le point !

— Pourquoi ne le faites-vous pas ? » dit Alex.

Il avait dit cela d'une voix douce mais le défi était clair. Herod Sayle le dévisagea d'un regard songeur.

« Parfait, Alex. Cent livres le point. Pourquoi pas ? J'aime le jeu. Mon père était un joueur.

— Je le croyais coiffeur.

— Qui t'a dit cela ? »

Le garçon se maudit intérieurement. Pourquoi n'était-il pas plus prudent en sa présence ?

« Je l'ai lu dans un journal. Mon père m'a donné des tas d'articles à lire quand j'ai gagné le concours.

— D'accord pour cent livres. Mais n'espère pas t'enrichir. »

Sayle frappa la bille blanche, qui expédia l'une des rouges droit dans la poche[2] du milieu. La méduse flottait devant la vitre de l'aquarium comme si elle observait la partie de billard. M. Rictus ramassa le tabouret et le déplaça autour de la table. Sayle éclata d'un rire

---

1. 1 livre = 1,40 euro environ.
2. Trou dans lequel on fait tomber les billes.

bref et suivit le majordome tout en étudiant déjà le prochain coup : une bille très difficile à jouer dans un angle.

« Que fait ton père, Alex ? demanda Sayle.

— Il est architecte.

— Ah oui ? Qu'a-t-il construit ? »

La question était banale mais il se demanda si Sayle cherchait à le mettre à l'épreuve.

« Il travaille dans un cabinet d'architectes à Soho. Mais avant il tenait une galerie d'art à Aberdeen.

— Parfait. »

Sayle grimpa sur le petit banc et ajusta son tir. La bille noire manqua la poche d'angle d'un millimètre et revint en tournant vers le centre. Il se renfrogna.

« C'est votre faute, aboya-t-il à l'adresse de M. Rictus.

— Houoi ?

— Votre ombre sur la table ! Tant pis, tant pis. »

Il se tourna vers le garçon.

« Pas de chance pour toi, Alex. Aucune des billes ne rentre. Tu ne vas pas gagner d'argent. »

Alex prit une queue dans le râtelier et étudia la disposition des billes sur la table. Sayle avait raison. La dernière rouge était trop près de la bande[1]. Mais au billard il existe d'autres moyens de gagner des points qu'en mettant les billes dans les trous, et il le savait parfaitement. C'était l'un des nombreux jeux auxquels Ian l'avait initié. Ils fréquentaient tous les deux un club de billard de Chelsea, et Alex était le meneur de l'équipe

_____
1. Bord de la table.

junior. Détail qu'il avait bien sûr omis de préciser à Sayle. Il visa soigneusement la rouge et tira. Bien joué.

« Ce n'était pas loin ! » s'exclama Sayle avant que les billes aient fini de rouler.

Il avait parlé trop tôt. Sa bille blanche heurta la poche et roula derrière la rose. Bille collée ! *Snooker* ! Sayle était coincé. Pendant au moins vingt secondes il mesura les angles, en respirant bruyamment.

« Tu es un sacré veinard ! Tu as fait un *snooker* sans le vouloir. Voyons voir... »

Il se concentra, frappa la bille blanche en s'efforçant de lui faire contourner la rose. Mais là encore il rata son coup d'un millimètre. On entendit le bruit sec du choc des deux billes.

« Six points pour moi, annonça Alex. Cela veut-il dire que je gagne six cents livres ?

— Quoi ?

— Avec ce coup vous me donnez six points. À cent livres le point...

— Ah, oui ! Oui. »

Sayle en bavait. Il contempla la table d'un regard incrédule.

Son coup avait exposé la bille rouge et offrait à son adversaire un tir facile dans le coin. Alex l'exécuta sans hésiter.

« Encore cent livres. Ce qui nous fait sept cents. »

Il longea la table, bousculant un peu M. Rictus au passage, et calcula rapidement les angles. Très bien...

Il fit un coulé sur la bille noire, et l'envoya dans le coin avec la blanche, laquelle revint en tournant sur la jaune. Mille quatre cents livres, plus deux cents lorsqu'il fit ensuite tomber la jaune dans la poche. Herod Sayle fut réduit à regarder Alex blouser[1] la verte, la marron, la bleue et la rose, dans cet ordre, et finir, dans la grande longueur, par la noire.

« J'ai gagné quatre mille cent livres, calcula Alex en posant sa queue de billard. Merci beaucoup. »

Le visage de Sayle avait pris la couleur de la dernière bille.

« Quatre mille... ! Jamais je n'aurais misé si j'avais su que tu étais aussi doué. »

Il s'approcha du mur et pressa un bouton. Une partie du sol s'ouvrit et la table de billard s'enfonça dans la trappe sur un monte-charge hydraulique. Une fois le sol revenu à sa place, rien ne laissait deviner qu'une table de billard s'était trouvée là un instant plus tôt. Joli camouflage. Le joujou d'un homme richissime.

Mais celui-ci n'était plus d'humeur à jouer. Il lança sa queue de billard à M. Rictus à la manière d'un javelot. Le majordome l'attrapa au vol.

« Maintenant, dînons », dit Sayle.

Ils étaient assis face à face, chacun à une extrémité d'une longue table de verre, dans la pièce voisine. M. Rictus leur servit du saumon fumé, suivi d'une sorte de ragoût. Alex buvait de l'eau, Sayle un grand cru de vin rouge.

---

1. Mettre une bille dans un trou.

« Alors, Alex, tu as passé quelques heures sur le Stormbreaker ?

— Oui.

— Qu'en penses-tu ?

— Fantastique », répondit Alex sincèrement.

Il avait encore du mal à croire que ce petit homme ridicule avait créé un appareil aussi puissant et bien profilé.

« Quels programmes as-tu essayés ?

— Histoire, sciences, maths. C'est difficile à croire mais je me suis amusé !

— Des critiques ? »

Alex réfléchit un instant.

« Je suis étonné qu'il n'y ait pas d'accélérateur 3D.

— Le Stormbreaker n'est pas fait pour les jeux.

— Vous avez songé à un casque et à un micro intégré ?

— Non, admit Sayle. C'est une bonne idée. Dommage que tu restes ici si peu de temps, Alex. Demain nous te mettrons sur Internet. Les Stormbreakers sont tous connectés à un réseau central. Il est contrôlé d'ici.

— Cool.

— C'est mieux que cool, dit-il, le regard lointain. La livraison des ordinateurs commence demain. Ils partent par avion, camion et bateau. Il suffira d'une journée pour les acheminer dans tous les coins du pays. Le jour suivant, à midi exactement, le Premier ministre me fera l'honneur de donner le coup d'envoi en appuyant sur un bouton qui mettra tous les Stormbreakers en ligne. À cet instant précis, toutes les écoles d'Angleterre seront reliées. Tu imagines ça, Alex ? Des milliers d'écoliers... des centaines de milliers, assis devant un écran et réunis tout d'un coup. Au nord, au sud, à l'ouest, à l'est ! Une seule école. Une seule famille. Enfin tout le monde saura qui je suis ! »

Il prit son verre et le vida d'un trait.

« Comment est la chèvre ?

— Pardon ? sursauta Alex.

— Le ragoût. C'est de la chèvre. Une recette de ma mère.

— Ce devait être une femme originale. »

Herod Sayle tendit son verre pour que M. Rictus le remplisse. Il observait son hôte avec curiosité.

« Tu vois, Alex, c'est bizarre mais j'ai l'impression que nous nous sommes déjà rencontrés.

— Je ne crois pas.

— Pourtant ton visage m'est familier. Qu'en pensez-vous, monsieur Rictus ? »

Le majordome recula avec la bouteille de vin. Son visage blafard se tourna vers Alex.

« Han Ryyerr !

— Mais oui ! Vous avez raison !

— Han Ryyerr ? répéta Alex.

— Il veut dire Ian Rider. L'agent de sécurité dont je t'ai parlé. Tu lui ressembles beaucoup. Étrange coïncidence, tu ne trouves pas ?

— Je ne sais pas. Je ne l'ai jamais rencontré, dit Alex, qui sentait le danger se rapprocher. Vous m'avez dit qu'il était parti subitement.

— En effet. Il était venu pour s'occuper de la sur-

113

veillance mais, si tu veux mon avis, il n'était pas très sérieux. Il passait la moitié de son temps au village. Au port, à la poste, à la bibliothèque. Quand il ne fouinait pas ici, bien sûr. C'est un autre point que vous avez en commun, tous les deux. J'ai appris que Fraülein Rami t'avait trouvé là où tu n'étais pas censé être, aujourd'hui... »

Les pupilles de Sayle se fixèrent sur Alex.

« Tu étais hors des limites.

— Je me suis un peu perdu.

— Eh bien, j'espère que tu ne te perdras pas, cette nuit. La sécurité est très pointilleuse en ce moment, comme tu as pu le remarquer. Mes hommes sont tous armés.

— Je ne savais pas que c'était légal.

— Nous avons une autorisation spéciale. Quoi qu'il en soit, Alex, je te conseille de rentrer directement dans ta chambre après le dîner. Et d'y rester. Je serais inconsolable si tu te faisais tuer accidentellement dans le noir. Bien que cela m'économiserait quatre mille livres !

— À ce propos, vous avez oublié de me signer un chèque, remarqua-t-il.

— Tu l'auras demain. Nous dînerons peut-être encore ensemble. M. Rictus nous préparera une recette de ma grand-mère.

— Encore de la chèvre ?

— Du chien.

— Décidément votre famille aimait les animaux.

— Seulement les comestibles, dit Sayle avec un sourire. Maintenant, je vais te souhaiter bonne nuit. »

À une heure et demie du matin, Alex ouvrit les yeux et se réveilla instantanément.

Il se glissa hors du lit et s'habilla rapidement en choisissant ses vêtements les plus sombres, puis il quitta la chambre. Il s'étonna un peu que la porte ne soit pas verrouillée et que les couloirs n'aient, apparemment, pas de caméras de surveillance. Mais, après tout, c'était la résidence privée de Sayle et la sécurité visait à empêcher les gens d'y pénétrer, non d'en sortir.

Sayle lui avait recommandé de ne pas quitter la maison. Mais les voix surprises derrière la porte de fer avaient parlé d'un événement qui devait se produire à deux heures du matin. Il devait découvrir de quoi il s'agissait.

Alex trouva le chemin de la cuisine et passa sur la pointe des pieds devant une enfilade de surfaces argentées rutilantes et un gigantesque réfrigérateur américain. Laissons reposer les chiens, songea-t-il en se rappelant le ragoût prévu pour le dîner du lendemain. Il y avait une porte de service, dont la clé était heureusement sur la serrure. Alex sortit et prit la précaution de refermer la porte et de garder la clé. Au moins il pourrait rentrer.

La nuit était douce et grise, avec une demi-lune qui formait un D parfait dans le ciel. D comme quoi ? Danger ? Découverte ? Ou désastre ? Seules les prochaines heures le lui apprendraient. Il fit deux pas et se figea : le faisceau d'un projecteur perché sur une tourelle qu'il n'avait pas remarquée le frôla à quelques centimètres.

Au même moment des voix lui parvinrent et deux gardes traversèrent lentement le jardin. Ils faisaient une ronde derrière la maison. Ils étaient armés. Alex se souvint des paroles de Sayle. Un tir accidentel lui économiserait quatre mille livres de dettes de jeu. Et, compte tenu de l'importance du Stormbreaker, qui se soucierait de savoir si le tir était vraiment accidentel ?

Il patienta jusqu'à ce que les deux hommes aient disparu et se dirigea dans la direction opposée, en courant le long de la maison et en se baissant au passage des fenêtres. Au loin, le terrain d'atterrissage était éclairé et des silhouettes allaient et venaient dans tous les sens. Des gardes et des techniciens. Un homme qu'il reconnut passa à pied devant la fontaine pour rejoindre un camion qui attendait. Grande et dégingandée, sa silhouette se découpait contre les phares. Alex aurait reconnu M. Rictus n'importe où. « Ils viennent cette nuit. À deux heures ». Les visiteurs du soir. Et M. Rictus allait à leur rencontre.

Le majordome était sur le point d'arriver au camion. Alex savait que, s'il tardait trop, tout serait manqué. Oubliant toute prudence, il quitta l'abri de la maison et courut à découvert en essayant de rester courbé et en espérant que ses vêtements sombres le rendraient invisible. Il n'était plus qu'à une cinquantaine de mètres du camion lorsque, subitement, M. Rictus s'arrêta et se retourna comme s'il avait senti une présence derrière lui. Alex ne pouvait se cacher nulle part. Il fit la seule chose qui s'offrait à lui : il se jeta à plat ventre par terre et s'enfouit le visage dans l'herbe. Puis il compta lentement jusqu'à cinq et risqua un coup d'œil. Le major-dome s'était tourné de l'autre côté. Une seconde personne avait surgi... Nadia Rami. Visiblement c'était elle qui allait conduire. Elle marmonna quelques mots avant de se hisser derrière le volant. M. Rictus grogna et hocha la tête.

Puis il fit le tour du véhicule pour s'asseoir sur le siège du passager, et Alex en profita pour se redresser et courir. Il atteignit l'arrière du camion juste au moment où celui-ci démarrait. Il ressemblait aux véhicules qui circulaient au centre d'entraînement du SAS. Peut-être était-ce un surplus de l'armée ? L'arrière était haut, carré et couvert d'une bâche. Alex s'accrocha au hayon et sauta à l'intérieur. Il était temps. Alors qu'il atterrissait dans le camion, il entendit une voiture qui démarrait derrière, tous phares allumés. Quelques secondes plus tard, il aurait été épinglé.

C'est un convoi de cinq véhicules qui sortit de Sayle Entreprises. Le camion où se trouvait Alex était l'avant-dernier. Outre M. Rictus et Nadia Rami, une bonne douzaine de gardes en uniforme faisait partie du voyage. Mais vers quelle destination ? Il n'osait pas jeter un coup d'œil à cause de la voiture qui suivait. Il sentit le camion ralentir à l'approche du portail, puis reprendre de la vitesse sur la route. Au lieu d'aller vers le village, le convoi gravissait la colline.

Alex éprouva toutes les sensations du trajet, mais sans rien voir. Il était blackboulé sur le plancher métallique à chaque virage en épingle à cheveux, et devina qu'ils quittaient la route principale quand il commença à rebondir brutalement à chaque cahot. Le camion roulait plus lentement. Ensuite il descendit une piste caillouteuse. C'est alors que, malgré le grondement du moteur, un autre bruit parvint à Alex. Un bruit de vagues. Ils étaient parvenus au bord de la mer.

Le camion s'arrêta. Des portières s'ouvrirent, claquèrent. Il y eut des crissements de bottes sur les galets, des voix. Il se tapit dans le fond du camion, craignant que l'un des gardes ne soulève la bâche, mais les voix s'éloignèrent et une fois de plus il se retrouva seul. Il se faufila dehors avec de multiples précautions. Il avait deviné juste. Le convoi stationnait sur une plage déserte. Alex aperçut le chemin venant de la route qui serpentait jusqu'au pied des falaises. M. Rictus et les autres s'étaient rassemblés sur une vieille jetée de pierre qui s'avançait dans l'eau noire. Le majordome tenait une lampe torche. Tout à coup il la brandit en décrivant un arc de cercle.

De plus en plus intrigué, Alex s'approcha en rampant et trouva une cachette derrière un amas de gros rochers. Apparemment ils attendaient un bateau. Il vérifia l'heure à sa montre. Deux heures pile. Il avait presque envie de rire. Avec des pistolets et des chevaux, ces gens auraient pu sortir tout droit d'un livre d'enfants. Contrebande sur la côte de Cornouailles ! Était-ce le but de l'expédition ? Une livraison de cocaïne ou de marijuana en provenance du continent ? Sinon pour quelle autre raison viendraient-ils ici au milieu de la nuit ?

La réponse à sa question surgit quelques secondes plus tard. Alex n'en crut pas ses yeux.

Un sous-marin ! Il émergea de la mer comme par enchantement. On aurait pu croire à des effets spéciaux cinématographiques, ou à un tour d'illusionniste. Le submersible surgit du néant et fendit la mer vers la jetée, sans un bruit. Derrière son fuselage argenté, les remous étaient tout blancs. Il ne portait aucune inscription, pourtant Alex reconnut la forme de la barre de plongée avant, qui s'engageait à l'horizontale dans le kiosque, et le gouvernail de plongée arrière en aileron de requin. Un SSN Han Class 404 chinois. À propulsion nucléaire. Et équipé d'armes nucléaires.

Que faisait-il sur les côtes de Cornouailles ? À quoi rimait tout ceci ?

Le kiosque s'ouvrit et un homme se hissa à l'extérieur dans l'air froid de la nuit. Même sans la lune, Alex aurait reconnu le corps mince de danseur et les cheveux coupés ras de l'homme dont il avait vu la photo quelques jours auparavant. L'homme qui avait assassiné Ian Rider. Il portait une combinaison grise. Il souriait.

Yassen Gregorovitch était supposé avoir rencontré Sayle à Cuba. Et il se trouvait maintenant ici, en Cornouailles. Donc ils *travaillaient* ensemble. Mais pourquoi ? Pourquoi le projet Stormbreaker avait-il besoin d'un homme tel que lui ?

Nadia Rami marcha jusqu'au bout de la jetée, et Yassen Gregorovitch descendit du sous-marin pour la rejoindre. Ils causèrent quelques minutes mais, même en supposant qu'ils aient parlé anglais, Alex n'aurait eu aucune chance de les entendre. Pendant ce temps, les gardes de Sayle Entreprises avaient formé une file qui s'étirait presque jusqu'à l'endroit où étaient garés les véhicules. Yassen lança un ordre et une grande boîte métallique, pourvue d'un joint hermétique, apparut en haut du kiosque du sous-marin, tenue par des mains invisibles. Yassen la prit et la passa au premier des gardes, qui la passa au deuxième, et ainsi de suite. Environ une quarantaine de boîtes suivirent, l'une après l'autre. Il fallut près d'une heure pour décharger la cargaison. Les hommes maniaient les boîtes avec soin. Visiblement ils ne voulaient pas casser leur contenu.

Vers trois heures ils en avaient presque terminé. Les boîtes étaient maintenant empilées près du camion qu'Alex avait déserté. C'est alors que l'incident se produisit.

L'un des hommes postés sur la jetée lâcha une boîte. Il la rattrapa de justesse, mais elle heurta un rocher. Aussitôt tout le monde se figea. On aurait dit qu'on avait appuyé sur un bouton. La peur était perceptible.

Yassen fut le premier à se ressaisir. Il fonça sur la jetée, avec la souplesse et le silence d'un chat, et prit la boîte. Il la palpa pour vérifier le joint, puis hocha lentement la tête. Le métal n'était même pas éraflé.

Comme tout le monde restait muet et immobile, Alex put entendre l'échange de paroles qui suivit :

« Ça va, dit le garde. Je suis désolé. Elle n'est pas abîmée. Je ne le ferai plus.

— En effet », acquiesça Yassen.

Et il le tua à bout portant. La balle parut jaillir de sa

main, rouge dans la nuit, et frappa l'homme à la poitrine. Celui-ci fut projeté en arrière et tomba à la renverse dans la mer. Pendant quelques secondes il regarda la lune comme s'il voulait l'admirer une dernière fois, puis l'eau noire l'engloutit.

Il fallut vingt autres minutes pour charger le camion. Yassen monta devant avec Nadia Rami. M. Rictus alla dans une autre voiture.

Alex dut calculer son retour avec prudence. Quand le camion commença à prendre un peu de vitesse pour remonter vers la route, il sortit de sa cachette, courut derrière, et sauta à l'intérieur. Il tâta une des boîtes. La taille d'une caisse de vin, aucune inscription, froide au toucher. Il chercha un moyen de l'ouvrir mais ne parvint pas à comprendre le mécanisme de verrouillage.

Il regarda dehors. La plage et la jetée étaient déjà loin. Le sous-marin s'éloignait vers le large. Alex l'aperçut, mince et argenté sous la lune puis, tout à coup, il disparut, comme un mauvais rêve.

10

Mort dans les hautes herbes

Alex fut éveillé par des coups indignés frappés à sa porte par Nadia Rami. Il n'avait pas entendu le réveil.

« C'est la dernière occasion pour toi de tester le Stormbreaker, lui rappela-t-elle.

— Je sais.

— Cet après-midi nous commençons à expédier les ordinateurs dans les écoles. Pendant ce temps, Herr Sayle a suggéré que tu prennes quelques heures de loisir. Une promenade à Port Tallon, peut-être ? Il y a un sentier qui traverse les champs et rejoint le rivage. Ça te plairait ?

— Oui, j'irai me promener, acquiesça-t-il.

— Bon. Maintenant je vais aller me préparer. Je te retrouve ici dans... *zehn Minuten*. »

Alex s'aspergea le visage d'eau froide et s'habilla. Il

s'était couché à quatre heures et manquait de sommeil. Son expédition nocturne ne s'était pas soldée par le succès espéré. Il avait vu beaucoup de choses : le sous-marin, les boîtes en métal, la mort du garde qui avait commis la bêtise d'en laisser tomber une, et pourtant, en fin de compte, il n'avait rien appris.

Yassen Gregorovitch travaillait-il pour Sayle ? Après tout, ce n'était pas certain. Rien ne prouvait que Sayle était au courant de sa présence. Quant aux boîtes, Alex en ignorait le contenu. Elles pouvaient très bien renfermer des repas tout préparés pour le personnel de Sayle Entreprises. Sauf qu'on ne tuait pas un homme parce qu'il a lâché un repas préparé !

On était le 31 mars. Ainsi que l'avait dit Nadia Rami, la livraison des ordinateurs allait commencer. Il ne restait qu'un jour avant la cérémonie officielle au musée de la Science. Mais Alex n'avait aucune information à transmettre, et la seule indication qu'il avait envoyée (le dessin de Ian) n'avait donné aucun résultat. Quand il était rentré, cette nuit, un message l'attendait sur la Game Boy :

IMPOSSIBLE D'EXPLIQUER LE GRAPHIQUE ET LA RÉFÉRENCE. PEUT-ÊTRE INDICATION DE PLAN TOPOGRAPHIQUE. MAIS SOURCE INCONNUE. MERCI DE TRANSMETTRE AUTRES OBSERVATIONS.

Alex avait d'abord songé à informer Mme Jones de la présence de Yassen Gregorovitch, puis il s'était ravisé. Celle-ci avait promis de le faire sortir de Sayle Entreprises si Yassen se montrait. Or il avait très envie de percer à jour ce qui se tramait. Car il se tramait quelque chose, c'était évident. Et jamais il ne pourrait se pardonner de ne pas découvrir ce que c'était.

Nadia Rami revint le chercher ainsi qu'elle l'avait promis et Alex passa trois heures à jouer avec le Storm-breaker. Cette fois il s'amusa moins. Et il s'aperçut, en ouvrant la porte du bureau, qu'un garde était posté dans le couloir. Visiblement on ne prenait plus aucun risque avec lui.

À une heure, enfin, le garde le délivra du bureau et l'escorta jusqu'à la grille d'entrée du domaine. Il faisait un temps radieux. Arrivé sur la route, Alex se retourna. M. Rictus venait de sortir d'un des bâtiments et tenait contre son oreille un téléphone portable. C'était à la fois inquiétant et surprenant. Pourquoi parlait-il au télé-phone maintenant et, surtout, comment son correspon-dant comprenait-il un mot de ce qu'il disait ?

C'est seulement une fois loin du site qu'Alex parvint à se détendre. Loin des clôtures, des gardes armés et de l'étrange sensation de menace qui planait sur Sayle Entreprises, il avait l'impression de respirer de l'air frais pour la première fois depuis des jours. La campagne de Cornouailles était belle, avec ses collines verdoyantes semées de fleurs sauvages.

Alex trouva la pancarte indiquant le sentier et quitta la route. Il avait calculé que Port Tallon se situait à envi-ron trois kilomètres, soit moins d'une heure de marche si la route n'était pas accidentée. Mais le chemin était escarpé dès le début, et Alex arriva tout à coup au-dessus de la mer bleue et claire, sur un sentier qui zigzaguait périlleusement au bord de la falaise. D'un côté, les champs s'étiraient à perte de vue et les hautes herbes ondulaient sous la brise. De l'autre, il y avait un précipice d'une cinquantaine de mètres qui plongeait vers les rochers et la mer. Port Tallon se trouvait tout au bout des falaises, niché contre le rivage. Très pittoresque, un peu comme un décor de vieux film américain.

Alex arriva à un embranchement. Un second sentier s'éloignait de la mer à travers les champs. Son instinct lui conseillait d'aller tout droit, mais un panneau, qui lui sembla bizarre, indiquait qu'il fallait prendre à droite. Il hésita un instant, perplexe. Puis il chassa ses doutes. Il marchait dans la campagne et le soleil brillait. Que risquait-il ? Il suivit la pancarte.

Le sentier continuait ainsi pendant quatre cents mètres, avant de plonger dans un vallon. Là, l'herbe était presque aussi haute qu'Alex. On aurait dit une chatoyante cage verte. Au loin, un oiseau surgit, boule de plumes brunes qui se retourna brusquement avant de prendre son envol. Quelque chose l'avait effarouché. C'est alors qu'il entendit le bruit. Un bruit de moteur qui approchait. Un tracteur ? Non. Le son était trop aigu et il se déplaçait trop vite.

Alex sentit le danger à la manière des animaux. Inutile de se demander pourquoi ou comment. Simplement le danger était là. Lorsque la masse sombre apparut, fonçant dans les herbes hautes, il se jeta de côté, en comprenant – trop tard – ce qui lui avait paru étrange dans le panneau du second sentier. Il était tout neuf. Le premier, sur la route, était vieux et battu par la pluie et le vent. Quelqu'un l'avait donc délibérément détourné du bon chemin pour l'attirer ici.

Dans le champ de la mort.

Il entra brutalement en contact avec le sol et roula dans un fossé. Le véhicule jaillit de l'herbe et la roue avant lui frôla la tête. Alex entrevit une grosse masse noire et carrée avec quatre pneus larges, qui tenait à la fois du tracteur miniature et de la moto. L'engin était conduit par un homme entièrement vêtu de cuir gris, avec casque et lunettes de motard. Il disparut dans l'herbe de l'autre côté du fossé. Alex eut l'impression qu'un rideau avait été tiré.

Il se releva et commença à courir. Il y avait deux engins. Il savait maintenant ce que c'était. Il en avait conduit un semblable dans les dunes de sable de la vallée de la Mort, lors de vacances avec Ian dans le Nevada. Un 4 × 4 Kawasaki doté d'un moteur de quatre cents chevaux, avec transmission automatique. Une moto à quatre roues. Un quad.

Les deux engins l'encerclaient comme des guêpes. Un bourdonnement, un cri, et le second quad bondit vers lui en vrombissant. Alex se jeta à nouveau sur le côté pour l'éviter. Dans sa chute il faillit se déboîter l'épaule. Le vent et les vapeurs d'essence de l'engin lui fouettèrent le visage.

Il devait absolument trouver un abri. Mais il était au milieu d'un champ et il n'y avait aucune cachette... hormis l'herbe elle-même. En désespoir de cause, il s'élança droit devant lui dans ce qu'il espérait être la direction du chemin principal. Les herbes lui griffaient la peau, l'aveuglaient à moitié. Il avait besoin d'aide. Celui qui avait envoyé ces engins à ses trousses (l'image de M. Rictus parlant au téléphone lui revint en mémoire) ne pouvait le tuer en présence de témoins.

Mais il n'y avait personne. Cette fois, les deux quads revenaient ensemble. Leurs moteurs ronflaient en chœur et approchaient à toute vitesse. Sans cesser de courir, Alex jeta un coup d'œil par-dessus son épaule et les vit, de chaque côté, tout près de le rattraper. Ce fut l'éclat du soleil et la vue de l'herbe fauchée à mi-hauteur qui lui révéla l'horrible vérité. Les deux motards avaient étiré entre eux une sorte de fil à couper le beurre.

Alex se jeta à plat ventre. Le fil passa juste au-dessus de lui. S'il était resté debout, il aurait été coupé en deux.

Les quads se séparèrent en décrivant un demi-cercle. Cela signifiait qu'ils avaient lâché le fil. En tombant, Alex s'était tordu le genou et il savait qu'il ne tarderait pas à être acculé. Il se remit à courir en boitillant, à la cherche d'un endroit où se cacher ou d'une arme pour se défendre. Hormis un peu d'argent, il n'avait rien dans ses poches. Pas même un canif. Les quads s'étaient éloignés mais pouvaient revenir d'une seconde à l'autre. Avec quoi, cette fois ? Un autre fil à couper le beurre ? Ou pire ?

Pire. Bien pire. Un moteur rugit, puis une boule de feu explosa au-dessus de l'herbe, la réduisant en cendres. Alex sentit la chaleur dans ses épaules. Il poussa un cri et se jeta de côté. L'un des motards tenait un lance-flammes ! Il l'avait visé, cherchant à le brûler vif, et avait bien failli réussir. Alex fut sauvé par le fossé étroit dans lequel il avait roulé. Et c'est seulement une fois à plat ventre sur la terre humide qu'il sentit la langue de feu au-dessus de lui. Il s'en était fallu d'un cheveu. D'ailleurs, il sentit une vilaine odeur de brûlé. Ses cheveux, justement.

Tremblant, le visage maculé de traînées de terre et de sueur, il sortit du fossé et courut aveuglément droit devant lui. Il avait perdu tout sens de l'orientation. Il savait seulement que, dans quelques secondes, les quads feraient leur réapparition. Au bout de dix pas il s'aperçut qu'il avait atteint l'extrémité du champ. Il remarqua une petite pancarte d'avertissement et une clôture électrifiée s'étirant à perte de vue. Sans le ronronnement qu'elle émettait, il se serait jeté dessus. Elle était quasiment invisible, et les motards qui fonçaient vers lui n'entendraient pas le son qui l'avait alerté...

Alex s'arrêta et fit volte-face. À une cinquantaine de mètres il apercevait l'herbe qui s'aplatissait au passage du quad encore invisible qui revenait à l'assaut. Cette fois, il attendit. Il se tint bien droit, bien planté sur les talons à la manière d'un matador. Vingt mètres, dix... Il regarda le motard en face, vit ses dents irrégulières découvertes par son sourire. L'homme brandissait le lance-flammes. Le quad franchit la dernière barrière de hautes herbes et bondit vers lui... Mais Alex n'était plus là. Il s'était esquivé sur un côté. Le motard aperçut trop tard la clôture électrifiée et fonça dessus. Le barbelé le saisit à la gorge. La moto fit un demi-tour en l'air et retomba à terre. L'homme s'effondra dans l'herbe, inerte.

Le choc avait soulevé la clôture. Alex courut vers lui et l'examina. Un instant il crut que c'était Yassen, mais celui-là était plus jeune, laid, avec des cheveux noirs. Il ne l'avait jamais vu. L'homme était inconscient mais respirait encore. Le lance-flammes éteint gisait non loin de lui. Soudain Alex entendit le moteur du second quad, encore loin, mais qui approchait. Les motards s'étaient acharnés à l'écraser, à le couper en deux, à le brûler vif. Il fallait vraiment qu'il trouve une issue avant qu'ils ne passent aux choses sérieuses !

Il courut au quad abandonné, couché sur le flanc. Il le redressa, l'enfourcha, et appuya sur le démarreur. Le moteur ronronna. Au moins il n'y avait pas de vitesses à passer. Il tourna la poignée d'accélérateur et s'agrippa au guidon. Le quad bondit en avant.

Maintenant c'était lui qui traçait un sillon dans les hautes herbes en direction du chemin. Il ne voyait qu'un rideau de verdure. Il n'entendait plus l'autre quad mais espérait que le deuxième homme ne comprendrait pas ce qui était arrivé à son complice et n'aurait pas l'idée de le pourchasser. Alex avait l'impression que ses os s'entrechoquaient tant les secousses étaient rudes. Il devait être prudent. S'il se laissait distraire une seconde, il risquait de faire un vol plané.

Il fonça à travers un autre rideau vert, braqua brutalement le guidon pour tourner à angle droit, et s'arrêta. Il avait débouché sur le chemin... et le bord de la falaise.

Trois mètres de plus et il aurait fait un bond dans le vide. Il resta là un moment, le moteur au ralenti. C'est alors que le second motard apparut. Sans doute avait-il deviné ce qui s'était passé. Il était sur le sentier, face à Alex, à deux cents mètres. Quelque chose étincela dans une de ses mains. Un revolver.

Alex regarda derrière lui le sentier par lequel il était arrivé à pied. Pas question. C'était trop étroit. Le temps de faire demi-tour, le second motard l'aurait rejoint. Un coup de feu, et tout serait terminé. Retourner dans les hautes herbes ? Non. Pour la même raison. Il devait avancer, même si cela impliquait une collision frontale avec son adversaire.

Pourquoi pas ? Il n'y avait pas d'autre issue.

Le motard accéléra et son engin bondit en avant. Alex fit de même. Ils fonçaient l'un vers l'autre sur le sentier étroit, entre un talus de terre et de rochers qui se dressait comme une barrière d'un côté et, de l'autre, le bord de la falaise. Ils n'avaient pas assez de place pour se croiser. Ils devraient s'arrêter ou bien se percuter de front. Et s'ils voulaient s'arrêter, ils devaient le faire dans les prochaines secondes.

Les deux quads se rapprochaient à toute vitesse. L'homme ne pouvait plus le viser avec son arme, au risque de perdre le contrôle de son véhicule. Tout en bas, les vagues argentées se brisaient contre les rochers. Le bord de la falaise étincelait au soleil. Le vrombissement du quad assourdissait Alex. Le vent lui fouettait le visage et le torse. L'un d'eux devait s'arrêter. L'un d'eux devait s'écarter du chemin.

Trois, deux, un... Ce fut son adversaire qui céda. À moins de cinq mètres, si près qu'Alex put discerner la sueur sur son front. Au moment où le choc devenait inévitable, l'homme tourna son guidon vers le talus et, en même temps, il tira un coup de feu. Trop tard. Sa moto fit une embardée et s'inclina sur deux roues. La balle se perdit. L'homme poussa un cri. En tirant, il avait perdu le contrôle de sa machine. Il batailla, tenta de la redresser, mais elle heurta un gros caillou, se souleva, rebondit brièvement sur le chemin, et poursuivit sa course par-dessus le bord de la falaise.

Alex entrevit une masse floue passer à côté de lui. Il s'arrêta et se tourna juste à temps pour assister à l'envol de l'autre quad dans le vide. Le motard avait réussi à se séparer de sa machine, mais l'un et l'autre touchèrent l'eau en même temps. La moto sombra quelques secondes avant l'homme.

Qui les avait envoyés ? C'était Nadia Rami qui lui avait suggéré cette promenade, mais M. Rictus qui l'avait vu partir. Alex était certain que l'ordre venait du majordome.

Il continua jusqu'au bout du chemin en quad. Puis il descendit à pied dans le village de pêcheurs. Il faisait beau, mais il ne profita ni du soleil ni du panorama. Il était furieux contre lui-même car il avait commis trop d'erreurs.

Logiquement, à cette heure, il aurait dû être mort. Seules la chance et une petite clôture électrifiée lui avaient permis de rester en vie.

11

La mine Dozmary

Alex traversa à pied Port Tallon, passa devant le pub
Aux Armes du pêcheur, et remonta la rue pavée en direction de la bibliothèque. C'était le milieu de l'après-midi
mais le village semblait endormi. Les bateaux oscillaient
doucement dans le port, les rues et les trottoirs étaient
déserts. Quelques mouettes tournoyaient paresseuse-
ment au-dessus des toits en poussant leurs habituels cris
geignards. L'air sentait le sel et le poisson mort.

La bibliothèque était une maison victorienne en
brique rouge, juchée de façon un peu arrogante au sommet d'une colline. Alex poussa la lourde porte battante
et pénétra dans une pièce dont le sol était dallé en noir
et blanc comme un échiquier. Une cinquantaine de
rayonnages se déployaient en éventail à partir du hall
de réception central. Six ou sept personnes étaient

assises à des tables et travaillaient. Un homme vêtu d'un épais pull de laine lisait *La Semaine du pêcheur*. Alex s'approcha du guichet d'accueil, où trônait l'inévitable pancarte « *Silence S.V.P.* ». Derrière, une femme au visage rond et souriant lisait *Crime et Châtiment*.

« Je peux vous aider ? »

Malgré la pancarte, elle avait une voix si forte que tout le monde levait la tête quand elle parlait.

« Oui... »

Alex était venu à la bibliothèque en raison d'une remarque anodine de Herod Sayle à propos de Ian Rider : « Il passait la moitié de son temps au village. Dans le port, à la poste, à la bibliothèque. » Alex avait déjà vu la poste, qui occupait une autre maison vieillotte près du port. Il ne pensait pas y apprendre quoi que ce soit. Mais la bibliothèque... Peut-être Ian y était-il venu chercher des renseignements. Peut-être la bibliothé-caire se souviendrait-elle de lui.

« J'ai un ami qui a séjourné au village, dit-il. Je me demandais s'il était venu ici. Il s'appelle Ian Rider.

— Rider, avec un I ou un Y ? Je crains d'ailleurs que nous n'ayons ni l'un ni l'autre. »

Elle pianota sur le clavier puis secoua la tête.

« Non, aucun Rider ni Ryder.

— Il logeait chez Sayle Entreprises. Quarante ans, mince, cheveux blonds. Il conduisait une BMW.

— Ah oui..., dit la bibliothécaire en souriant. Il est venu ici une ou deux fois. Un homme charmant. Très poli. Je savais qu'il n'était pas de la région. Il recherchait un livre...

— Vous vous rappelez lequel ?

— Bien sûr, je me le rappelle. Je ne me souviens pas toujours des visages, mais je n'oublie jamais un livre. Votre ami s'intéressait aux virus.

— Les virus ?

— Oui. C'est bien ce que j'ai dit. Il voulait de la documentation sur le sujet... »

Un virus informatique ! Cela changeait tout ! Un virus informatique était le sabotage idéal : invisible et instantané. Un simple petit bip infiltré dans le logiciel et tout ce que contenait le disque dur du Stormbreaker pouvait être détruit à tout instant. Mais il était impensable que Herod Sayle veuille saboter sa propre invention. Ça n'avait aucun sens. Sauf si Alex se trompait sur Sayle depuis le début. Il ignorait peut-être tout de ce qui se tramait.

« Malheureusement je n'ai guère pu l'aider, poursuivit la bibliothécaire. Nous ne sommes qu'une petite bibliothèque et nos subventions ont été diminuées pour la troisième année consécutive. Bref, votre ami a dit qu'il se ferait envoyer des livres de Londres. Je crois me souvenir qu'il avait une boîte postale au village... »

Voilà qui paraissait cohérent. Ian Rider ne se serait pas fait adresser des informations chez Sayle Entreprises, où elles risquaient d'être interceptées.

« C'est la dernière fois que vous l'avez vu ? demanda Alex.

— Non. Il est revenu environ une semaine plus tard. Il avait dû recevoir ce qu'il voulait car, cette fois, ce n'était plus un ouvrage sur les virus qu'il recherchait, mais sur les questions régionales.

— Quel genre de questions régionales ?

— L'histoire de la Cornouailles. Rayon CL, précisa-t-elle en pointant le doigt. Il a passé l'après-midi à consulter un des ouvrages puis il est parti. Il n'est pas revenu depuis. J'espérais qu'il allait s'inscrire. J'aurais été ravie de l'avoir comme nouvel adhérent. »

Histoire régionale. Alex ne voyait pas en quoi cela pouvait l'aider. Il remercia la bibliothécaire et se dirigea vers la porte. Sa main était presque sur la poignée quand un détail lui revint en mémoire.

CL 475/19.

Il fouilla dans sa poche et en sortit le morceau de papier qu'il avait trouvé dans le baldaquin de sa chambre. Ça collait. CL. Les deux lettres n'indiquaient pas une référence sur une carte topographique, mais celle d'un livre !

Alex s'approcha du rayonnage désigné par la bibliothécaire. Les livres vieillissent plus vite quand ils ne sont pas lus, et ceux qui s'alignaient là étaient depuis longtemps à la retraite. Ils s'appuyaient les uns contre les autres pour chercher du réconfort. CL 475/19. Le numéro était inscrit sur le dos d'un ouvrage intitulé : *Dozmary, histoire de la plus ancienne mine de Cornouailles.*

Il porta le livre sur une table, l'ouvrit et le feuilleta rapidement, en se demandant en quoi l'histoire de la Cornouailles pouvait intéresser Ian Rider. C'était une histoire connue de tous.

La mine était restée la propriété de la famille Doz-mary pendant onze générations. Au XIXe siècle, il exis-tait quatre cents mines en Cornouailles. À la veille du XXe siècle, il n'en restait plus que trois, dont la mine Dozmary. Le prix de l'étain avait chuté et le gisement était presque épuisé, mais comme il n'existait pas d'autre activité économique dans la région, la famille Dozmary avait continué l'exploitation en dépit de son coût extrêmement élevé. En 1991, Sir Rupert Dozmary, le dernier propriétaire, avait sombré dans la dépression et s'était tiré une balle dans la tête. On l'avait enterré dans le cimetière local, dans un cercueil en étain disait la rumeur.

Ses héritiers avaient fermé la mine et vendu le terrain à Sayle Entreprises. On avait bouché les galeries, dont certaines étaient maintenant inondées.

Le livre contenait plusieurs photographies en noir et blanc : chevaux de mine, vieilles lanternes, groupes de mineurs tenant une hache et leur gamelle. Ces derniers devaient probablement être morts et sous terre pour de bon. Alex arriva à un plan topographique représentant les galeries à l'époque de la fermeture de la mine.

Il était difficile d'évaluer l'exactitude de l'échelle, mais on voyait tout un labyrinthe de puits, de galeries et de rails qui couraient sur plusieurs kilomètres sous terre. Il suffisait de descendre dans les ténèbres des tun-nels pour s'y perdre instantanément. Ian Rider s'était-il aventuré dans la mine Dozmary ? Et, si oui, qu'y avait-il découvert ?

Alex se souvint du couloir au bas de l'escalier métal-

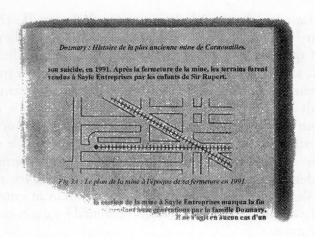

Dozmary : Histoire de la plus ancienne mine de Cornouailles.

son suicide, en 1991. Après la fermeture de la mine, les terrains furent vendus à Sayle Entreprises par les enfants de Sir Rupert.

Fig 3A : Le plan de la mine à l'époque de sa fermeture en 1991.

La cession de la mine à Sayle Entreprises marqua la fin ... pendant deux générations par la famille Dozmary. Il ne s'agit en aucun cas d'un

lique. Les parois sombres taillées dans la roche et les ampoules électriques suspendues au bout de leur fil lui avaient rappelé quelque chose, et soudain il comprit quoi. Le couloir n'était rien d'autre qu'une galerie de la vieille mine ! On pouvait supposer que Ian Rider avait lui aussi descendu l'escalier métallique et que, comme Alex, se trouvant stoppé par la porte de fer verrouillée, il avait résolu de découvrir ce qui se cachait derrière. Mais, à la différence de son neveu, Ian avait tout de suite reconnu le couloir pour ce qu'il était, c'est-à-dire un tunnel, c'est pourquoi il était retourné à la bibliothèque municipale. Là, il avait trouvé l'ouvrage sur la mine Dozmary, et le plan lui avait indiqué une voie d'accès aux galeries que condamnait la porte.

Ensuite il avait pris des notes !

Alex sortit de sa poche le croquis de Ian Rider et le posa sur la page du livre, sur le plan imprimé. Puis, tenant les deux feuilles collées l'une contre l'autre, il les mit à la lumière pour les regarder par transparence.

Et voici ce qu'il vit :

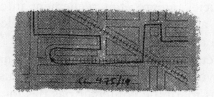

Les lignes tracées par Ian sur le bout de papier correspondaient exactement aux puits et galeries de la mine, et désignaient un parcours. Alex en était certain. S'il parvenait à trouver l'entrée de Dozmary, il pourrait suivre le chemin jusqu'à l'autre côté de la porte en fer.

Dix minutes plus tard, il quittait la bibliothèque avec une photocopie de la page du livre où figurait le plan. Puis il descendit au port et entra dans une de ces boutiques pour marins où l'on trouve tout et n'importe quoi. Il s'acheta une puissante lampe torche, un pull en laine épais, un rouleau de corde et une boîte de craies.

Puis il retourna dans les collines.

Alex récupéra le quad et fila à toute vitesse en haut des falaises. Déjà le soleil déclinait à l'ouest. Devant lui il apercevait l'unique cheminée et la tour à demi écroulée qui, espérait-il, marquait l'entrée du puits Kerneweck, dont le nom venait de l'ancienne langue de Cornouailles. Selon le plan, c'était là que s'ouvrait le puits. Le quad lui avait facilité les choses. À pied, il aurait mis une heure.

Le temps pressait et Alex le savait. Les Stormbreakers avaient déjà dû commencer à quitter l'usine et, dans moins de vingt-quatre heures, le Premier ministre donnerait le signal de mise en route. Que se passerait-il si le logiciel intégré était réellement infecté par un virus ? Un affront cinglant pour Sayle et le gouvernement britannique ? Ou pire ?

Et quel était le lien entre un virus informatique et ce qu'il avait vu la nuit précédente ? La cargaison déchargée du sous-marin ne contenait pas des logiciels informatiques. Les boîtes argentées étaient bien trop grandes, et on ne tue pas un homme parce qu'il a laissé tomber une disquette.

Alex gara le quad près de la tour et pénétra sous un passage voûté. D'abord il crut s'être trompé. La bâtisse ressemblait davantage à une église en ruines qu'à l'entrée d'une mine. D'autres personnes étaient passées là avant lui. Il y avait quelques canettes de bière écrasées et de vieux paquets de chips sur le sol, ainsi que les habituels graffitis sur les murs. « JHR est venu ici. » « Nick aime Cassandra. » Ce genre de visiteurs abandonnaient dans leur sillage ce qu'il y avait en eux de plus moche, tracé en peinture fluo.

Son pied rencontra un objet qui émit un son métallique, et il s'aperçut qu'il marchait sur une trappe en fer scellée dans le sol en ciment. Des mauvaises herbes poussaient sur les bords mais, en posant la main sur la fente, il sentit un appel d'air. C'était probablement l'entrée du puits.

La trappe était verrouillée par un lourd cadenas de plusieurs centimètres d'épaisseur. Alex jura entre ses dents. Il avait laissé le tube de « crème anti-acné » dans sa chambre. Elle aurait rongé le métal en quelques secondes, mais il n'avait pas le temps de retourner la chercher. Il s'agenouilla et secoua le cadenas de dépit. À sa grande surprise, celui-ci s'ouvrit entre ses doigts. Quelqu'un l'avait précédé. Ian Rider, probablement. Ian avait réussi à forcer le cadenas et ne l'avait pas complètement refermé afin de le trouver en l'état lorsqu'il reviendrait.

Alex saisit la poignée de la trappe. Il lui fallut user de toutes ses forces pour la soulever. Quand il y parvint, une bouffée d'air froid lui fouetta le visage. La trappe heurta le sol avec un bruit sourd et il se trouva devant un trou noir que la lumière du jour ne parvenait pas à sonder. Il l'éclaira de sa lampe torche. La portée en était pourtant d'une cinquantaine de mètres mais le puits s'enfonçait beaucoup plus profondément. Il chercha un caillou et le jeta dedans. Dix secondes au moins s'écoulèrent avant qu'il ne heurte le fond.

Une échelle rouillée descendait le long du puits. Alex s'assura que le quad était hors de vue, puis il enroula la corde sur son épaule et coinça la torche dans sa ceinture. Descendre dans le trou noir ne l'enchantait guère. Les barreaux de fer de l'échelle étaient froids, et à peine s'était-il enfoncé jusqu'aux épaules dans le puits que toute lumière disparut et qu'il se sentit aspiré par une obscurité si totale qu'il eut l'impression de ne même plus avoir d'yeux. Mais il ne pouvait pas descendre les échelons *et* tenir la torche. Il devait tâtonner, poser une main puis un pied, descendre plus bas, encore plus bas, jusqu'à ce que ses talons touchent le sol et qu'il soit certain d'avoir atteint le fond du puits Kerneweck.

Il leva la tête. Désormais il ne distinguait plus de l'entrée qu'un petit rond blanc, aussi lointain que la lune. Essoufflé, s'efforçant de combattre son sentiment de claustrophobie, Alex sortit la torche et l'alluma. Le faisceau de lumière bondit de sa main et jeta une lumière blanche et pure sur son environnement immédiat. Il se trouvait au début d'un long tunnel dont les parois inégales et le plafond étaient soutenus par des poutres de bois. Le sol était humide et l'air sentait l'eau salée. Il faisait froid. Alex s'en était douté et il enfila tout de suite le pull qu'il avait acheté. Ensuite il traça un grand X sur la paroi. La craie aussi était une bonne idée. Quoi qu'il arrive, il voulait être sûr de retrouver la sortie.

Maintenant il était prêt. Quittant le puits vertical, il fit deux pas en avant dans le tunnel et sentit aussitôt peser sur lui la densité de la roche. C'était horrible. Il avait l'impression d'être enterré vivant et dut faire un effort immense pour continuer d'avancer. Au bout d'une quinzaine de pas, il atteignit la deuxième galerie qui bifurquait sur la gauche. Il sortit de sa poche le plan photocopié et l'examina à la lumière de la torche. Selon le croquis de Ian, c'était cette galerie qu'il fallait suivre. Il braqua sa lampe et s'engagea donc dans le tunnel de gauche, lequel descendait progressivement et l'entraînait de plus en plus profondément sous terre.

Il n'y avait absolument aucun bruit dans la mine hormis celui de sa respiration, le crissement de ses pas et le battement rapide de son cœur. C'était comme si l'obscurité effaçait les sons autant que les formes. Alex cria, juste pour entendre quelque chose. Mais sa voix lui parut frêle et ne fit qu'amplifier la pesanteur accablante de la roche au-dessus de sa tête. La galerie était en mauvais état. Certaines poutres avaient craqué au moment où il passait et des graviers lui étaient tombés sur le cou et les épaules. On n'avait pas fermé la mine Dozmary sans raison ! C'était un lieu infernal, capable de s'effondrer à tout instant.

La galerie s'enfonçait de plus en plus. Alex sentait sa tension artérielle battre dans ses oreilles, l'obscurité devenait de plus en plus dense et oppressante. Il arriva devant un amas de ferraille et de fils : un engin enterré et oublié depuis longtemps. Il l'enjamba trop vite et s'entailla la jambe sur un morceau de fer déchiqueté. Il s'immobilisa quelques secondes et se força à ralentir. Il savait qu'il ne devait pas céder à la panique. « Si tu paniques, tu vas te perdre. Réfléchis à ce que tu fais. Sois prudent. Un pas à la fois. »

« D'accord. D'accord... », murmura-t-il pour se rassurer.

Bientôt il émergea dans une sorte de grande salle circulaire, constituée par l'arrivée de six galeries différentes qui formaient une sorte d'étoile. La plus large d'entre elles allait sur la gauche : le sol était jonché par les restes d'une voie ferrée. Alex détourna sa torche et éclaira deux wagonnets de bois qui avaient dû servir à transporter du matériel ou de l'étain. En consultant le plan, il fut tenté de suivre les rails qui semblaient offrir un raccourci vers la voie que Ian avait tracée, mais il se ravisa. Si son oncle avait tourné l'angle de la galerie et était reparti en arrière, il devait avoir ses raisons. Alex traça deux autres croix à la craie sur la paroi : l'une pour la galerie qu'il avait quittée, l'autre pour celle dans laquelle il entrait. Il se remit en marche.

Ce nouveau tunnel s'abaissait et rétrécissait de plus en plus, jusqu'au moment où Alex fut obligé de s'accroupir. Le sol était mouillé, il pataugeait dans des flaques d'eau. Il se rappela que la mer était proche et une idée déplaisante l'assaillit. À quelle heure était la marée haute ? Et, quand l'eau montait, qu'advenait-il à l'intérieur de la mine ? Il eut une vision subite de lui-même, prisonnier dans l'obscurité, avec l'eau qui lui montait jusqu'à la poitrine, le cou, le visage. Il s'arrêta et s'obligea à penser à autre chose. Ici, seul, dans les profondeurs de la terre, son imagination pouvait devenir sa pire ennemie.

La galerie s'incurvait pour rejoindre une deuxième voie ferrée, laquelle était tordue et cassée, recouverte ici et là de gravats qui avaient dû tomber de la voûte. Mais les rails rendaient la progression plus facile car ils reflétaient la lumière de la torche. Alex les suivit jusqu'à la jonction avec la voie ferrée principale. Cela lui avait pris trente minutes et il était presque revenu à son point de départ. Il comprit alors pourquoi Ian Rider avait opté pour le chemin le plus long. Un tunnel s'était effondré : une trentaine de mètres plus loin, la voie ferrée principale était obstruée.

Il traversa les rails, toujours en suivant le plan, et

s'arrêta. Il regarda le papier, puis de nouveau la galerie en face de lui. Cela lui parut impossible. Pourtant il n'y avait pas d'erreur.

Il avait atteint une petite galerie ronde qui s'enfonçait en pente raide. Mais, au bout de dix mètres, elle s'interrompait brutalement, bouchée par ce qui ressemblait à une sorte de panneau de métal. Alex ramassa un caillou et le lança. Il y eut un plouf. Cette fois il comprit. La galerie était totalement inondée par de l'eau noire comme de l'encre, qui était montée jusqu'au plafond du tunnel. Cela signifiait donc, en supposant qu'il soit capable de nager dans une eau à une température proche de zéro, qu'il ne pourrait pas respirer. Après tous ces efforts, tout ce temps passé sous terre, il ne pouvait plus avancer !

Alex fit demi-tour. Il s'apprêtait à s'en aller lorsque le faisceau de la torche révéla quelque chose qui gisait en tas sur le sol. Il s'en approcha et se pencha. C'était une combinaison de plongée. Et toute neuve ! Il revint au bord de l'eau et l'examina à la lumière de sa lampe. Cette fois il vit autre chose. Une corde avait été attachée à un rocher et s'enfonçait dans l'eau en diagonale. Alex en devina la raison.

Ian Rider avait nagé dans le tunnel immergé. Vêtu d'une combinaison de plongée, il avait arrimé une corde pour se guider. De toute évidence il avait prévu de revenir. Voilà pourquoi il avait laissé le cadenas ouvert. Une fois de plus, son oncle mort lui venait en aide. La question était de savoir si Alex allait avoir le courage de continuer.

Il prit la combinaison. Elle était trop grande pour lui mais le préserverait probablement du froid. Néanmoins le froid n'était pas l'unique problème. La galerie pouvait mesurer dix mètres, mais elle pouvait tout aussi bien en mesurer cent. Comment savoir si Ian avait utilisé des bouteilles de plongée ? Si Alex descendait dans la galerie immergée et se trouvait à court d'air à mi-chemin, il se noierait. Coincé sous la roche dans les ténèbres. Il n'imaginait pas pire façon de mourir.

Mais il était arrivé jusque-là et, à en juger par le plan, il touchait au but. Il pesta. Ce n'était vraiment pas drôle. Il aurait voulu n'avoir jamais entendu parler d'Alan Blunt, de Sayle et du Stormbreaker. Mais si son oncle l'avait fait, il le pouvait aussi. Serrant les dents, il enfila la combinaison et en remonta la fermeture à glissière. Il avait gardé ses vêtements en pensant que cela l'étofferait un peu. La combinaison était encore lâche par endroits mais il était sûr qu'elle ne laisserait pas pénétrer l'eau.

Ensuite il pressa l'allure, craignant de changer d'avis s'il hésitait. Il s'approcha de l'eau, se pencha et saisit la corde d'une main. Il irait plus vite en nageant à deux mains mais il n'osait pas courir ce risque. S'égarer dans la galerie immergée serait aussi fatal que de manquer d'air. Il devait donc tenir la corde pour se guider. Alex prit plusieurs inspirations pour s'oxygéner le sang, sachant que cela lui ferait gagner plusieurs secondes précieuses. Puis il plongea.

Le froid était féroce. Il eut l'impression qu'un coup de marteau vidait l'air de ses poumons. L'eau lui mordit le visage, ses doigts s'engourdirent instantanément.

Tout son corps fut ébranlé, mais la combinaison le gardait au sec et empêchait sa température de baisser. Agrippé à la corde, il se propulsa en avant. Cette fois, il ne pouvait plus revenir en arrière.

Tirer sur la corde, fouetter l'eau de ses jambes. Tirer, fouetter. Alex était sous l'eau depuis moins d'une minute que déjà ses poumons souffraient de la pression. La voûte de la galerie lui raclait les épaules et il craignait qu'elle ne déchire la combinaison, et sa peau par la même occasion. Mais il n'osait pas ralentir. Le froid diminuait ses forces. Tirer, fouetter. Tirer, fouetter. Depuis combien de temps était-il sous l'eau ? Quatre-vingt-dix secondes ? Cent ? Il fermait les yeux. Les ouvrir n'aurait rien changé. Il évoluait dans une version ténébreuse, tourbillonnante et glaciale de l'enfer. Et il commençait à manquer d'air.

La corde lui mettait les paumes à vif. Environ deux minutes, maintenant. Qui lui en paraissaient dix. Il avait une envie folle d'ouvrir la bouche, même pour avaler de l'eau... Un cri muet s'étrangla dans sa gorge. Tirer, fouetter. Tirer, fouetter. Tout à coup la corde remonta et Alex sentit la roche s'éloigner de ses épaules. Il inspira l'air goulûment. Il avait réussi. De justesse.

Mais à quoi ?

Il ne distinguait rien. Il flottait dans un noir absolu, incapable même de voir où s'arrêtait l'eau. Il avait laissé la torche de l'autre côté et savait qu'il n'aurait pas la force de retourner la chercher. Il avait suivi les traces d'un homme mort. Qui sait si celles-ci ne le mèneraient pas à sa propre perte ?

12

Derrière la porte

Alex nagea lentement, complètement aveugle, craignant à chaque seconde de se fendre le crâne contre la roche. Malgré la combinaison étanche il commençait à ressentir le froid et savait qu'il devait rapidement trouver une issue. Sa main frôla quelque chose mais ses doigts étaient trop engourdis pour définir ce que c'était. Il s'y accrocha pour se tirer en avant. Tout à coup ses pieds touchèrent le fond. Alors seulement il prit conscience d'un changement. Il voyait ! Un peu de lumière, venant d'on ne savait où, parvenait à s'infiltrer dans cette zone située au-delà de la galerie immergée.

Lentement sa vision s'ajusta. En agitant sa main devant son visage il put distinguer ses doigts. Ce qu'il avait touché était une poutre de bois, un étai du plafond effondré. Alex ferma les yeux. Les rouvrit. L'obscurité avait régressé, il discerna une intersection de galeries taillées dans la roche, le croisement de trois tunnels. Seul le quatrième, par lequel il était arrivé, était immergé. Aussi faible que fût la lumière, elle lui redonna des forces. Utilisant la poutre comme une jetée improvisée, il se hissa sur la roche. En même temps il prit conscience d'un martèlement assourdi. Difficile de dire s'il était près ou loin, mais le son lui évoqua celui qu'il avait entendu sous le bâtiment D, et il comprit qu'il touchait au but.

Il ôta la combinaison étanche, qui par chance avait bien joué son rôle. Son corps était sec, mais l'eau glacée dégoulinait de ses cheveux le long de son cou, et bien sûr ses chaussures et ses chaussettes étaient trempées. Celles-ci firent un bruit de succion quand il voulut marcher et il s'arrêta pour enlever ses tennis et les essorer avant de se remettre en route. Le croquis de Ian était toujours dans sa poche mais il n'en avait plus besoin. Il lui suffisait désormais de suivre la lumière.

Alex arriva à une nouvelle intersection, puis tourna à droite. Il faisait maintenant assez clair pour discerner la couleur de la roche, brune et grise. Le martèlement devenait de plus en plus fort et un courant d'air tiède parvenait jusqu'à lui. Il avança prudemment, curieux de ce qu'il allait découvrir. Il tourna un angle et, soudain, la paroi brute céda la place à des briques neuves, avec des grilles métalliques encastrées à intervalles juste au-dessus du sol. L'ancienne mine avait été reconvertie. On l'utilisait maintenant comme conduit d'évacuation d'un système d'air conditionné. Et la lumière qui avait guidé Alex filtrait par ces grilles métalliques.

Il s'agenouilla à côté de l'une d'elles pour regarder au travers et découvrit une vaste salle carrelée de blanc : un laboratoire doté d'un équipement de verre et d'acier extrêmement sophistiqué disposé sur des plans de travail. La salle était déserte. Alex essaya de desceller la grille, mais elle était solidement fixée dans le mur. La deuxième grille donnait sur la même salle. Elle aussi solidement scellée. Il se déplaça jusqu'à une troisième grille, laquelle donnait sur une remise où étaient entreposées les boîtes argentées débarquées du sous-marin la nuit précédente.

Il saisit la grille à deux mains et tira. Elle se détacha sans résistance et Alex, surpris, comprit pourquoi en l'examinant de plus près. Ian Rider était passé par là avant lui et avait découpé les attaches de fixation. Il la posa doucement sur le sol. Une tristesse soudaine l'envahit. Ian avait trouvé le chemin dans la mine, il avait dessiné le plan, nagé dans la galerie immergée et ouvert la grille. Jamais Alex ne serait parvenu jusqu'ici sans son aide, et il regrettait de n'avoir pas appris à mieux connaître son oncle et, peut-être, de ne pas l'avoir admiré davantage de son vivant.

Il entreprit de se faufiler dans le trou rectangulaire pour pénétrer dans la pièce. Au dernier moment, alors qu'il était à plat ventre, les jambes ballantes, il remit la grille en place. À condition de ne pas y regarder de trop près, personne ne verrait rien. Il se laissa tomber et atterrit, comme un chat, sur la pointe des pieds. Le martèlement venait de quelque part à l'extérieur, assez fort pour couvrir tous les bruits qu'Alex pouvait faire. Il s'approcha d'une des caisses argentées et l'examina. Cette fois elle s'ouvrit du premier coup, mais elle était vide. Son mystérieux contenu avait déjà été utilisé.

Alex chercha d'éventuelles caméras de surveillance, puis marcha vers la porte. Elle n'était pas fermée à clé. Il l'ouvrit, centimètre par centimètre, et jeta un coup d'œil. Il vit un large couloir, muni d'une porte coulissante automatique à chaque extrémité, et d'une rampe métallique sur toute sa longueur.

« Dix-neuf heures. Équipe rouge sur la chaîne de montage. Équipe bleue à la décontamination. »

La voix tonna dans les haut-parleurs, une voix ni féminine ni masculine, insensible, inhumaine. Alex regarda sa montre. Déjà sept heures du soir. Il avait mis plus longtemps qu'il le pensait à parcourir la mine. Il avança. Ce n'était pas exactement un couloir sur lequel donnait la porte, plutôt une sorte de plate-forme d'observation. Il posa les mains sur la rampe et se pencha.

Pas un instant il n'avait imaginé ce qu'il trouverait derrière la porte de fer, mais ce qu'il découvrit alors dépassait de bien loin tout ce qu'il aurait pu imaginer. C'était une salle immense, avec des murs mi-roche brute mi-acier poli, devant lesquels s'alignaient du matériel informatique, des compteurs électroniques, des machines qui clignotaient, scintillaient, comme animées d'une vie propre. Quarante ou cinquante personnes s'affairaient là, toutes vêtues d'une combinaison et portant des brassards de couleurs différentes : rouge, jaune, bleu et vert. Des lampes à arc étaient suspendues au plafond. Des sentinelles armées montaient la garde à chaque porte et surveillaient les opérations d'un regard neutre.

C'était là que l'on assemblait les Stormbreakers. Les ordinateurs défilaient sur un long tapis roulant, devant des ingénieurs et des techniciens. Le plus étrange était qu'ils paraissaient achevés... ce qui était logique. Sayle lui avait répété qu'ils seraient livrés dans l'après-midi et la nuit. Mais, dans ce cas, quelle révision de dernière minute pouvait-on bien apporter dans cette usine secrète ? Et pourquoi une si grande part de la chaîne de production était-elle ainsi cachée ? Ce qu'Alex avait vu lors de la visite de Sayle Entreprises n'était que le haut de l'iceberg. L'essentiel de l'usine était là, sous terre.

Il examina le déroulement des opérations avec plus d'attention. Le souvenir du Stormbreaker qu'il avait utilisé était très précis dans son esprit, et il remarqua sur ceux-là un détail nouveau. Un cache de plastique avait été soulevé au-dessus de chaque écran, révélant un petit compartiment cylindrique d'environ cinq centimètres de profondeur. Les ordinateurs passaient sous une machine bizarre, dotée de suspensions cantilevers[1], de fils électriques et de bras hydrauliques. Des éprouvettes opaques et argentées arrivaient par une cage étroite et allaient à la rencontre de l'ordinateur : une éprouvette

---

1. Sans câbles.

pour chaque ordinateur. Avec d'infinies précautions, elles étaient soulevées, retournées, et déposées dans le petit compartiment ouvert. Ensuite les Stormbreakers poursuivaient leur chemin. Une deuxième machine fermait et scellait les caches de plastique, qui devenaient alors totalement invisibles. Arrivés au bout de la chaîne, les ordinateurs étaient empaquetés dans des caisses rouge et blanc marquées du sigle de Sayle Entreprises.

Un mouvement attira l'attention d'Alex. Derrière la chaîne de montage, une immense fenêtre donnait sur une autre salle. Deux hommes vêtus de combinaisons de cosmonaute marchaient d'un pas maladroit, comme au ralenti. Ils s'arrêtèrent. Une alarme retentit et tout à coup les deux silhouettes disparurent dans un nuage de vapeur blanche. Alex se souvint de la voix dans les haut-parleurs. Était-ce un processus de décontamination ? Mais pourquoi ? Une telle mesure n'était pas nécessaire. En tout cas il n'avait jamais entendu parler d'un procédé semblable. Si ces hommes étaient véritablement décontaminés, de *quoi* l'étaient-ils ?

« Agent Gregorovitch au rapport dans la zone de bio-endiguement. Ceci est un appel pour l'agent Gregorovitch. »

Un homme mince et blond, vêtu de noir, se détacha de la chaîne de montage et se dirigea d'un pas nonchalant vers une porte qui s'ouvrit en coulissant. Pour la deuxième fois Alex observa l'exécuteur russe, Yassen Gregorovitch. Que se tramait-il ? Il songea au sous-marin et aux boîtes étanches. Mais oui, bien sûr. Yassen avait apporté les éprouvettes qui étaient maintenant insérées dans les ordinateurs. Ces éprouvettes devaient être une sorte d'arme pour les saboter. Non. Impossible. À Port Tallon, la bibliothécaire lui avait dit que Ian cherchait de la documentation sur les virus informatiques...

Virus.

Décontamination.

Zone de bio-endiguement.

À l'instant même où la vérité se faisait jour dans son esprit, Alex sentit un objet dur et froid contre sa nuque. Il n'avait pas entendu la porte s'ouvrir derrière lui. Une voix douce lui souffla quelque chose à l'oreille et il se raidit.

« Lève-toi. Mets tes bras le long du corps. Si tu fais le moindre geste brusque, je te colle une balle dans la tête. »

Il se retourna lentement. Un garde se dressait derrière lui, arme au poing. Alex avait vu la même scène cent fois au cinéma et à la télévision, et il eut un choc en constatant à quel point la réalité était différente. Le pistolet était un Browning automatique. Une légère pression de l'index sur la détente, et une balle de neuf millimètres lui ferait exploser la cervelle. Le seul contact de l'acier lui donnait la nausée.

Il se redressa. Le garde avait dans les vingt-cinq ans, un visage pâle et intrigué. Alex ne l'avait jamais vu mais, chose plus importante, le garde n'avait jamais vu Alex non plus. Il ne s'attendait pas à tomber sur un adolescent. C'était peut-être une chance.

« Qui es-tu ? questionna-t-il. Qu'est-ce que tu fais ici ?

— J'habite chez M. Sayle, répondit Alex en regardant fixement le pistolet. Pourquoi braquez-vous cette arme sur moi ? Je ne fais rien de mal. »

Il avait pris un air pathétique de petit garçon égaré. Cela eut l'effet désiré. L'homme hésita, abaissa légèrement son arme. C'est alors qu'Alex le frappa. Un coup de karaté classique. Il fit pivoter son corps et assena un coup de coude juste sous l'oreille du garde. Cela devait suffire à l'assommer, mais il ne voulut courir aucun risque et il le doubla d'un coup dans l'aine. Le garde se plia en deux et lâcha son revolver. Alex le traîna rapidement à l'écart de la rampe, puis regarda en bas. Personne n'avait rien remarqué.

Mais l'homme ne resterait pas longtemps inconscient, et Alex devait filer au plus vite, non seulement loin du souterrain mais de Sayle Entreprises. Il devait contacter Mme Jones. Il ignorait comment et pourquoi, mais il savait maintenant que les Stormbreakers avaient été transformés en machines à tuer. Il restait moins de dix-sept heures avant le lancement officiel au musée de la Science. Il devait l'empêcher d'une manière ou d'une autre.

Il courut vers la porte à l'extrémité du passage, qui coulissa automatiquement. Il déboucha dans un couloir incurvé, blanc, avec des bureaux sans fenêtre construits dans ce qui devait être d'autres galeries de la mine Dozmary. Alex savait qu'il ne pouvait pas repartir par où il était arrivé. Il était trop fatigué et, même s'il retrouvait son chemin dans la mine, jamais il ne pourrait nager sous l'eau une seconde fois. Sa seule chance était la porte de fer qui menait à l'escalier métallique et au bâtiment D. Dans sa chambre il y avait un téléphone. Et, si la ligne ne fonctionnait pas, il avait la Game Boy pour transmettre un message. Il fallait coûte que coûte prévenir le MI 6 de ce qu'il avait découvert.

Alex atteignit l'extrémité du couloir, mais recula vivement dans une encoignure en apercevant trois gardes qui se dirigeaient vers une double porte. Heureusement ils ne le virent pas. Personne ne savait qu'il était ici. Tout se passerait bien.

C'est alors que l'alarme se déclencha. Une sirène électronique retentit dans les couloirs, jaillit de tous les coins et se répercuta partout. Au plafond, une lumière rouge se mit à clignoter. Les gardes firent volte-face et aperçurent le garçon. Contrairement à leur collègue de la plate-forme d'observation, ceux-ci n'hésitèrent pas une seconde. À peine Alex eut-il le temps de plonger dans la porte la plus proche qu'ils avaient déjà sorti leur arme et faisaient feu. Les balles des pistolets-mitrailleurs frappèrent le mur et ricochèrent dans le couloir. Il atterrit à plat ventre et, d'un coup de pied, referma la porte derrière lui. Il se releva, trouva un verrou, et le ferma. Une seconde plus tard, les balles crépitèrent contre la porte. Mais elle était en acier et résisterait.

Alex se trouvait dans une sorte de tour qui conduisait, en bas, à un enchevêtrement de tuyaux et de cylindres. Cela évoquait la salle des machines d'un navire. L'alarme y résonnait aussi fort que dans la grande salle. Le son strident semblait jaillir de partout. Il dévala l'escalier quatre à quatre, puis s'arrêta brutalement, cherchant une issue. Il avait le choix entre trois couloirs. Mais il entendit un bruit de pas et le choix se réduisit à deux. Il regretta de n'avoir pas ramassé le Browning automatique du garde. Il était seul et sans arme. Comme un canard isolé dans un stand de tir, avec des armes qui tiraient de partout et aucune issue. Si c'était pour ce genre de situation que l'avait préparé le MI 6, onze jours d'entraînement ne suffisaient pas.

Il courut, suivant les entrelacs des tuyaux, essayant chaque porte qu'il rencontrait. Une pièce contenant des combinaisons de cosmonaute sur des cintres. Une salle de douche. Un autre laboratoire avec une seconde porte et, au milieu de la pièce, un réservoir de verre en forme de tonneau rempli de liquide vert. Des enchevêtrements de tubes en caoutchouc en sortaient. Tout autour, des plateaux avec des éprouvettes.

Le réservoir en forme de tonneau. Les plateaux. Alex se rappela avoir vu ça quelque part, sous forme de lignes floues sur l'écran de la Game-Boy. Il devait donc se trouver de l'autre côté de la fameuse porte de fer. Il se rua sur elle. Elle était verrouillée de l'intérieur, électroniquement, par le panneau d'identification en verre placé sur le mur. Jamais il ne pourrait l'ouvrir. Il était pris au piège.

Des pas approchèrent. Alex eut juste le temps de se cacher sur le sol, sous l'un des plans de travail, avant que la première porte ne s'ouvre sous la poussée de deux gardes. Ils entrèrent dans le laboratoire et y jetèrent un rapide regard circulaire, sans l'apercevoir.

« Il n'est pas là ! dit le premier.

— Tu ferais mieux de monter », dit le second.

L'un des gardes rebroussa chemin, et l'autre s'approcha de la deuxième porte. Il plaça sa paume de main sur le panneau de verre, une lumière verte clignota, il y eut un bourdonnement, et il poussa la porte et disparut. Alex roula sur le sol au moment où elle se refermait et parvint de justesse à glisser son pied dans l'entrebâillement. Il attendit un instant, puis se leva et la rouvrit. Comme il l'avait espéré, il se trouvait dans le corridor où Nadia Rami l'avait surpris.

Le garde s'était déjà éloigné. Alex referma la porte derrière lui, et le hurlement de la sirène s'étouffa. Il gravit l'escalier métallique et franchit une porte battante. Retrouver l'air frais lui fit du bien. Le soleil s'était déjà couché. De l'autre côté de la pelouse, le terrain d'aviation était illuminé par des rampes de projecteurs semblables à celles qui éclairent les terrains de football. Une douzaine de camions étaient garés l'un à côté de l'autre. Des hommes y chargeaient de grosses et lourdes caisses carrées, rouge et blanc. L'avion cargo qu'Alex avait aperçu à son arrivée roula sur la piste et prit son envol.

Il savait qu'il assistait à la dernière phase de la chaîne de montage. Les caisses rouge et blanc étaient les mêmes que celles qu'il avait vues dans la salle souterraine. Les Stormbreakers, équipés de leur secret mortel, allaient être transportés et livrés. Demain ils seraient dans tout le pays.

Courbé en deux, Alex courut devant la fontaine et traversa la pelouse. Il songea à gagner le portail principal mais y renonça. C'était sans espoir. Les sentinelles avaient dû être prévenues et l'attendraient. Il ne pouvait pas non plus franchir la clôture d'enceinte, à cause du fil barbelé. Finalement, sa chambre lui sembla le meilleur refuge. Il y avait le téléphone, et aussi ses seules armes : les gadgets que Smithers lui avait remis quatre jours plus tôt. Ou était-ce quatre ans ?

Il entra dans la maison par la cuisine, comme il en était sorti la nuit précédente. Il était seulement huit heures, pourtant tout semblait désert. Il gravit l'escalier en courant et se précipita vers sa chambre. Il ouvrit la porte lentement. Apparemment la chance continuait de lui sourire. Personne. Sans allumer la lumière, il s'approcha du téléphone et décrocha le combiné. La ligne était coupée. Aucune importance. Il prit la Game-Boy, les quatre cartouches, le Yo-Yo et la crème anti-acné, et fourra le tout dans ses poches. Il avait décidé de ne pas rester là. C'était trop dangereux. Il trouverait une cachette quelque part. Ensuite il utiliserait la cartouche Némésis pour contacter le MI 6.

Alex revint vers la porte et l'ouvrit. Il sursauta en découvrant M. Rictus debout dans le couloir, toujours aussi laid avec son visage blafard, sa tignasse rousse et son sourire tordu et violacé. Il réagit instantanément. Il lança en avant le tranchant de sa main droite. Mais M. Rictus fut plus rapide : il parut esquisser un pas de danse sur le côté, puis sa main jaillit et le frappa à la gorge. Alex ouvrit la bouche pour respirer. En vain. Le majordome émit un son inarticulé et frappa une seconde fois. Alex eut l'impression que, derrière ses cicatrices, l'homme souriait vraiment et s'amusait beaucoup. Il tenta d'éviter le coup mais le poing du majordome l'atteignit en pleine mâchoire, et il fut projeté en arrière dans sa chambre.

Il n'eut même pas conscience de toucher le sol.

13

La petite brute

On vint chercher Alex le lendemain matin.

Il avait passé la nuit menotté à un radiateur, dans une petite pièce obscure munie d'un unique vasistas à barreaux. Peut-être une ancienne cave à charbon. Quand il s'éveilla, les premières lueurs grises du petit matin filtraient à peine. Il ferma les yeux et les rouvrit. Il avait des élancements dans la tête et la mâchoire gonflée. Ses bras étaient tordus derrière son dos et les muscles de ses épaules le brûlaient. Mais le pire de tout était son sentiment d'échec. On était le 1er avril, jour de la distribution des Stormbreakers. Et il ne pouvait rien faire. Vilain poisson d'avril.

Juste avant neuf heures, la porte s'ouvrit. Deux gardes entrèrent avec M. Rictus. On détacha Alex et on le mit debout. Ensuite, flanqué d'un garde de chaque côté, on le fit sortir de la pièce et monter un étage. Il était toujours dans la résidence de Sayle. L'escalier conduisait au couloir décoré des peintures du Jugement dernier. Il regarda les pauvres créatures qui se tordaient de douleur sur le tableau. S'il ne se trompait pas, cette image se répéterait bientôt à travers toute l'Angleterre. Et cela dans tout juste trois heures.

Les gardes le traînèrent dans la salle de l'aquarium. Une chaise de bois à haut dossier se dressait là. On le fit asseoir de force et on le menotta de nouveau les mains derrière le dos. Les gardes sortirent. M. Rictus resta.

Alex entendit un bruit de pas sur l'escalier de métal en colimaçon et vit les chaussures de cuir avant l'homme qui les portait. Herod Sayle apparut, vêtu d'un costume de soie gris clair immaculé. Blunt et les gens du MI 6 soupçonnaient le milliardaire du Moyen-Orient depuis le début. Ils avaient toujours pensé qu'il avait quelque chose à cacher. Pourtant ils n'avaient jamais réussi à deviner quoi. Herod Sayle n'était pas un ami de leur pays. Il était son pire ennemi.

« Trois questions, aboya Sayle d'une voix glaciale. Qui es-tu ? Qui t'a envoyé ici ? Que sais-tu ?

— J'ignore de quoi vous parlez. »

Sayle soupira. Si Alex lui avait trouvé quelque chose de comique, ce quelque chose avait disparu. L'homme arborait une expression ennuyée et sérieuse. Son regard hideux était chargé de menace.

« Nous avons peu de temps, reprit-il. Monsieur Rictus... ? »

Le majordome s'approcha d'une des vitrines et en sortit un poignard aiguisé comme un rasoir, avec un des bords dentelé. Il l'approcha de son visage, les yeux luisants.

« Je t'ai raconté que M. Rictus était un expert en poignards autrefois, poursuivit Sayle. Il l'est toujours. Dis-moi ce que je veux savoir, Alex, sinon il te fera plus de mal que tu ne peux l'imaginer. Et n'essaie pas de me mentir, je t'en prie. Souviens-toi de ce qui arrive aux menteurs. Particulièrement à leur langue. »

M. Rictus fit un pas en avant. La lame étincela.

« Je m'appelle Alex Rider.

— Le fils de Ian Rider ?

— Son neveu.

— Qui t'a envoyé ici ?

— Les mêmes personnes qui l'avaient envoyé, lui. »

Il ne servait à rien de mentir. Cela n'avait plus d'importance. L'enjeu était trop important.

« Le MI 6 ? s'esclaffa Herod Sayle sans gaieté. Ils emploient un garçon de quatorze ans pour faire leur sale besogne ? Ce n'est pas digne des Anglais », dit-il avec un accent anglais outré.

Il alla s'asseoir derrière son bureau.

« Et ma troisième question, Alex ? Qu'as-tu découvert ? »

Alex haussa les épaules, s'efforçant de prendre un air désinvolte pour masquer la peur qui l'étreignait.

« Suffisamment de choses, répondit-il.

— Je t'écoute. »

Alex prit sa respiration. Derrière lui, la méduse se

165

mouvait comme un nuage nocif. Il l'apercevait du coin de l'œil. Il tira sur les menottes, se demandant s'il serait possible de casser la chaise. Un éclair étincela et le poignard que tenait M. Rictus se planta en vibrant dans le dossier, à un cheveu de sa tête. La lame lui avait éraflé la peau du cou. Il sentit un filet de sang couler sur son col.

« Tu nous fais attendre, reprit M. Sayle.

— Très bien. Lorsque mon oncle était ici, il s'est intéressé aux virus. Il a demandé des renseignements sur le sujet à la bibliothèque du village. J'ai pensé qu'il s'agissait de virus informatiques. C'était logique. Mais j'avais tort. Hier soir, j'ai vu ce que vous faisiez. J'ai entendu ce qui se disait dans les haut-parleurs. Décontamination. Zone de bio-endiguement. En fait il était question d'arme biologique. Vous détenez un véritable virus. Il est arrivé ici dans des éprouvettes emballées dans des boîtes argentées, et vous les avez mises dans les Stormbreakers. Je ne sais pas ce qui va se passer ensuite. Je suppose que, quand les gens allumeront les ordinateurs, ils mourront. Et comme ils seront installés dans des écoles, ce sont des enfants qui mourront. Ce qui veut dire que vous n'êtes pas le saint que tout le monde croit, monsieur Sayle. Vous êtes un assassin. Un boucher. Un psychopathe. »

Herod Sayle applaudit doucement.

« Beau travail, Alex. Je te félicite. Et je crois que tu mérites une récompense. Alors je vais t'expliquer quelque chose. D'une certaine manière, il est tout à fait approprié que le MI 6 m'ait envoyé un vrai collégien anglais. Car, vois-tu, il n'y a rien au monde que je déteste davantage. Rien... »

Son visage se tordit de haine et, un instant, Alex vit la folie étinceler dans ses yeux.

« Vous autres, sales petits snobs, avec vos écoles prétentieuses et votre puante supériorité anglaise ! Mais je vais vous montrer qui je suis. Vous allez voir, tous ! »

Sayle se leva et s'approcha d'Alex avant de poursuivre :

« Je suis arrivé dans ce pays il y a quarante ans. Je n'avais pas un sou. Ma famille ne possédait rien. Sans un accident idiot, j'aurais probablement passé toute ma vie à Beyrouth. Dommage pour toi ! Mais tant mieux pour moi !

« J'ai été envoyé ici par une famille américaine, pour étudier. Ils avaient des amis dans le nord de Londres, chez qui je logeais. Tu n'imagines pas ce que j'éprouvais. Je vivais à Londres, qui était pour moi le cœur de la civilisation ! Voir tant de richesses et savoir que j'en aurais ma part ! J'allais devenir un Anglais ! Pour un enfant né dans un taudis libanais, c'était un rêve inaccessible. Mais j'ai vite appris la réalité », dit Sayle en se penchant pour déloger le poignard planté dans la chaise d'Alex.

Il le lança à M. Rictus qui l'attrapa au vol et le fit tournoyer dans sa main.

« Dès le jour où je suis arrivé à l'école, on s'est moqué de moi et on m'a rudoyé. À cause de ma taille. De la couleur de ma peau. De mon mauvais accent. Parce que je n'étais pas l'un des leurs. On me donnait des sobriquets. Herod Sale. Le Nain. Le Gardien de Chèvres. On me jouait de sales tours. Des compas sur ma chaise, mes livres volés et barbouillés. On m'arrachait mon pantalon et on le suspendait au mât du drapeau, sous l'Union Jack. Moi qui adorais ce drapeau quand je suis arrivé, ajouta-t-il en secouant tristement la tête. Au bout de quelques semaines j'en suis venu à le haïr.

— Des tas d'enfants se font chahuter à l'école..., commença Alex, brutalement interrompu par la gifle que lui assena Sayle.

— Je n'ai pas terminé. »

Il respirait bruyamment, il avait un peu de salive sur sa lèvre inférieure. Visiblement il revivait le passé. Et à nouveau il laissait le passé le détruire.

« Il y avait beaucoup de petites brutes dans cette école de quartier, reprit-il. Mais l'un était pire que les autres. C'était un petit avorton et un lèche-bottes, mais ses parents étaient assez riches et il avait du talent pour manipuler ses camarades. Il savait parvenir à ses fins. C'était déjà un politicien. Oh oui, un excellent politicien. Il pouvait être charmant quand il le voulait et quand les professeurs étaient dans les parages. Mais, dès qu'ils tournaient le dos, il s'en prenait à moi. Il montait les autres contre moi. *Allons embêter le gardien de chèvres. Mettons-lui la tête dans la cuvette des toilettes.* Il avait plein d'idées pour me rendre la vie impossible et il en trouvait toujours de nouvelles. Il me harcelait sans cesse et je ne pouvais rien faire parce qu'il était populaire et que j'étais un étranger. Et sais-tu ce qu'est devenu ce garçon ?

— Vous allez me le dire.

— Oui, je vais te le dire... Ce garçon est devenu notre Premier ministre ! »

Sayle sortit de sa poche un mouchoir blanc et s'épongea le visage. Sa tête chauve luisait de sueur.

« Toute ma vie, on m'a traité ainsi. Malgré mes succès, malgré l'argent que je gagnais, malgré le nombre de personnes que j'employais. Je suis toujours la risée de tous. Je suis toujours le gardien de chèvres, le vagabond libanais. Depuis quarante ans je prépare ma revanche. Et aujourd'hui, enfin, mon heure est venue. Monsieur Rictus... »

Le majordome s'approcha du mur et pressa un bouton. Alex s'attendait presque à voir la table de billard surgir du sol, mais au lieu de cela un panneau s'ouvrit sur chacun des murs pour révéler des écrans de télévision allant du sol au plafond. Sur l'un d'eux apparut le laboratoire souterrain. Sur un autre, la chaîne de montage. Sur un troisième, le terrain d'aviation, avec le dernier camion qui roulait vers la sortie. Il y avait des circuits fermés de télévision partout et Herod Sayle pouvait surveiller chaque recoin de son royaume sans avoir à quitter la pièce. Rien d'étonnant à ce qu'Alex ait été si facilement découvert.

« Les Stormbreakers sont armés et fin prêts. Tu avais raison, Alex. Chaque ordinateur contient un virus. C'est mon petit poisson d'avril à moi. Mon virus n'est pas un virus informatique mais une forme de variole. Bien entendu il a été modifié afin de le rendre plus rapide, plus puissant... et mortel. Une cuillerée à café détruirait une ville entière. Et mes Stormbreakers en contiennent plus, beaucoup plus.

« Pour l'instant le virus est isolé, à l'abri. Mais, cet après-midi, il y aura une grande fête au musée de la Science. Chaque école de Grande-Bretagne y participera. Tous les écoliers seront rassemblés autour de leurs jolis ordinateurs tout neufs. Et, à midi, au douzième coup, mon vieil ami le Premier ministre fera un de ses petits discours prétentieux et hypocrites. Ensuite il pressera un bouton. Il croira activer les ordinateurs et, en un sens, il aura raison. Le bouton déclenchera la libération du virus et, à minuit, ce soir, il n'y aura plus d'écoliers en Grande-Bretagne, et le Premier ministre regrettera amèrement d'avoir humilié le petit Herod Sayle !

— Vous êtes fou ! s'exclama Alex. À minuit, vous serez en prison. »

Sayle chassa l'idée d'un revers de main.

« Je ne crois pas, Alex. Lorsque tout le monde aura compris ce qui se passe, je serai loin. Je ne suis pas seul dans cette affaire. J'ai des amis puissants qui m'ont aidé...

— Yassen Gregorovitch.

— Je vois que tu as bien travaillé ! dit le Libanais, un peu étonné de l'entendre prononcer ce nom. Yassen travaille pour les gens qui m'ont soutenu. Ne citons pas de noms ni de nationalités. Tu serais surpris d'apprendre le nombre de pays qui détestent les Anglais. La plupart des Européens, pour commencer. Mais peu importe... »

Sayle claqua dans ses mains et retourna s'asseoir à son bureau.

« Maintenant, tu connais la vérité. Je suis ravi d'avoir pu te la révéler, Alex. Tu ignores à quel point je te hais. Même quand tu jouais avec moi à ce stupide jeu de *snooker*, je pensais au plaisir que j'aurais à te tuer. Tu es comme les garçons qui étaient avec moi à l'école. Rien n'a changé.

— Vous n'avez pas changé non plus », dit Alex.

La gifle de Sayle lui brûlait encore la joue. Mais il en avait assez entendu.

« Je suis désolé que vous ayez souffert à l'école. Mais beaucoup de garçons se font chahuter et ils ne deviennent pas fous pour autant. Vous êtes pathétique, monsieur Sayle. Et votre plan de marchera pas. J'ai dit au MI 6 tout ce que je savais. Ils vous attendent au musée de la Science. Ainsi que des infirmiers en blouse blanche. »

Herod Sayle ricana.

« Désolé, Alex, je ne te crois pas. »

Son visage devint froid et dur comme la pierre.

« Et tu sembles avoir oublié que je n'aime pas les menteurs. »

M. Rictus avança d'un pas et fit sauter le poignard dans sa main de façon à avoir la lame à plat dans la paume.

« J'aurais aimé te regarder mourir, Alex, reprit-il. Malheureusement, j'ai un rendez-vous urgent à Londres. »

Il se tourna vers M. Rictus et ajouta :

« Accompagnez-moi jusqu'à l'hélicoptère. Ensuite vous reviendrez le tuer. Prenez votre temps. Je veux qu'il souffre. Nous aurions dû garder une dose de virus pour lui, mais je suis certain que vous trouverez un moyen plus original de l'éliminer. »

Herod Sayle gagna la porte. Il s'arrêta sur le seuil et se retourna.

« Adieu, Alex. Ce n'était pas un plaisir de faire ta connaissance. Mais profite de ta mort. Et souviens-toi, tu seras le premier à mourir... »

La porte se ferma. Attaché à la chaise, Alex resta seul en compagnie de la méduse qui flottait silencieusement derrière lui.

14

Eau profonde

Alex renonça à tenter de se libérer. Il avait les poignets
meurtris et tailladés par les menottes. Au bout de trente
minutes, comme M. Rictus ne revenait pas, il essaya vainement d'atteindre la crème anti-acné que lui avait don-
née Smithers. Il savait que le produit rongerait le métal
en quelques secondes. Le plus rageant était de sentir le
tube dans la poche extérieure à fermeture Éclair de son
pantalon de treillis sans pouvoir l'atteindre. Il avait beau
allonger les doigts au maximum, il lui manquait
quelques centimètres. C'était à devenir dingue.

Le ronronnement de l'hélicoptère lui apprit que
Herod Sayle avait décollé pour Londres. Les paroles du
milliardaire hantaient Alex. Cet homme était complètement fou. Son plan dépassait l'entendement. Il pré-
voyait un massacre massif qui détruirait la Grande-Bre-

tagne pour les prochaines générations. Il s'efforçait d'imaginer ce qui allait se produire. Des milliers d'écoliers seraient dans leurs classes autour des Stormbreakers flambant neufs, attendant impatiemment le moment – midi exactement – où le Premier ministre presserait le bouton qui mettrait tous les ordinateurs en ligne. Mais, au lieu du scintillement de l'écran, il se produirait un léger sifflement et un petit nuage mortel se diffuserait dans les salles de classes bondées. Quelques minutes plus tard, dans tout le pays, les morts commenceraient à tomber. Alex se força à chasser cette image de son esprit. C'était vraiment trop horrible. Pourtant cette horreur allait se produire dans quelques heures. Et il était le seul à pouvoir l'empêcher. Mais il était ici, ligoté, incapable du moindre mouvement.

La porte s'ouvrit. Alex tourna la tête, s'attendant à voir M. Rictus, mais ce fut Nadia Rami qui entra précipitamment et referma la porte derrière elle. Son visage habituellement pâle était empourpré et son regard, derrière ses lunettes, effrayé. Elle s'approcha.

« Alex !

— Que me voulez-vous ? » demanda-t-il en se contractant quand il la vit se pencher vers lui.

Il y eut un déclic et, à son grand étonnement, ses mains furent libérées. Elle avait ouvert ses menottes ! Il se leva, perplexe et indécis.

« Écoute-moi, Alex, dit Nadia Rami, en parlant d'une voix basse et pressée entre ses lèvres fardées de jaune. Nous n'avons pas beaucoup de temps. Je suis ici pour t'aider. Je travaillais avec ton oncle, *Herr* Ian Rider.

C'est la vérité, ajouta-t-elle devant le sursaut de surprise d'Alex. Toi et moi sommes dans le même camp.

— Personne ne m'a prévenu...

— Mieux valait que tu ne le saches pas.

— Mais... »

Il était déboussolé.

« Je vous ai vue à côté du sous-marin. Vous saviez ce que Sayle mijotait...

— Je ne pouvais rien faire. Pas encore. C'est trop difficile à expliquer. Nous n'avons pas le temps de discuter. Tu veux arrêter Sayle, n'est-ce pas ?

— Il me faut un téléphone.

— Tous ceux de la maison sont codés. Tu ne peux pas les utiliser. Mais j'ai un téléphone portable dans mon bureau.

— Alors allons-y. »

Alex était encore méfiant. Si Nadia Rami en connaissait autant, pourquoi n'avait-elle pas essayé de stopper Sayle plus tôt ? D'un autre côté, elle l'avait délivré, et M. Rictus allait revenir d'une minute à l'autre. Il n'avait pas d'autre choix que de lui faire confiance. Il la suivit dans le couloir puis dans un escalier, jusqu'à un palier où se dressait une statue de femme nue, sans doute quelque déesse grecque. Nadia Rami s'arrêta un instant, la main posée sur le bras de la statue.

« Qu'y a-t-il ? s'inquiéta Alex.

— Je me sens un peu étourdie. Continue. C'est la première porte à gauche. »

Il passa devant elle. Du coin de l'œil, il la vit appuyer sur le bras de la statue. Le bras bougea. Un levier.

Quand il comprit qu'elle s'était jouée de lui, il était trop tard. Le sol se déroba sous ses pieds, activé par un pivot caché. Alex poussa un cri. Il tenta de se retenir, mais il ne put rien faire. Il tomba sur le dos et glissa à travers le plancher, dans une sorte de tunnel en plastique tire-bouchonné. Il entendit le rire triomphant de Nadia Rami, puis il disparut, en essayant vainement de s'agripper aux parois lisses du tunnel, et en se demandant ce qui l'attendait au bout.

Cinq secondes plus tard, il eut la réponse. Le tunnel en plastique tirebouchonné l'éjecta. Après un court vol plané, Alex plongea dans un bain d'eau froide. Un instant il fut aveuglé et suffoqua. Puis il remonta à la surface et se retrouva dans un gigantesque réservoir rempli d'eau et de rochers. C'est alors qu'il comprit avec épouvante où il était.

Nadia Rami l'avait expédié dans l'aquarium de la méduse géante de Herod Sayle, la fameuse physalie ou galère portugaise. C'était un miracle qu'il ne soit pas tombé directement sur elle. L'énorme créature se tenait dans le coin éloigné de l'aquarium, avec ses tentacules effrayants et leurs cellules urticantes qui ondoyaient et se tordaient dans l'eau. Alex combattit sa panique, se força à rester immobile. En bougeant il risquait de provoquer des remous dans l'eau, qui attireraient aussitôt l'animal. La méduse n'avait pas d'yeux. Elle ne savait pas qu'il était là. Elle ne l'attaquerait pas.

Mais elle finirait par le découvrir. L'aquarium mesurait au moins dix mètres de profondeur et vingt ou trente mètres de longueur. Les parois vitrées s'élevaient bien au-dessus du niveau de l'eau, hors d'atteinte. Il n'y avait aucun moyen d'en sortir. En regardant sous l'eau, Alex vit des lumières et se rendit compte qu'il regardait dans la pièce qu'il venait de quitter, le bureau privé de Herod Sayle. L'image était floue et déformée par l'eau. Il y eut un mouvement : la porte s'ouvrit et deux personnes entrèrent. Il les distinguait à peine mais il savait qui elles étaient. Fräulein Rami et M. Rictus. Ils se tenaient tous les deux devant l'aquarium. Nadia Rami avait dans la main ce qui ressemblait à un téléphone mobile.

« J'espère que tu peux m'entendre, Alex. »

La voix à l'accent allemand jaillit d'un haut-parleur, quelque part au-dessus de sa tête.

« Tu as sans doute constaté qu'il n'y a aucun moyen pour toi de sortir de l'aquarium. Tu peux barboter dans l'eau une heure, peut-être deux. D'autres ont tenu plus longtemps. Quel est le record, monsieur Rictus ?

— Hhank horr err iiii !

— Cinq heures et demie, en effet. Mais tu vas vite te fatiguer, Alex. Tu vas couler. Bien sûr, les choses seront plus rapides si tu vas embrasser directement ton amie la méduse. Tu la vois, n'est-ce pas ? Ce n'est pas un baiser très souhaitable. C'est un baiser mortel. Tu n'imagines sans doute même pas la douleur. C'est vraiment dommage, Alex Rider, que le MI 6 t'ait choisi pour cette mission. Ils ne te reverront plus jamais. »

Un déclic, et la voix cessa. Il battit des jambes pour garder la tête hors de l'eau, le regard fixé sur la méduse. Il y eut un autre mouvement dans la pièce, de l'autre côté de la vitre. M. Rictus avait quitté le bureau, mais Nadia Rami était restée. Elle voulait le regarder mourir.

Alex leva les yeux. L'aquarium était éclairé par une rangée de tubes au néon, mais trop hauts pour qu'il puisse les atteindre. Derrière lui il entendit un bruit, suivi d'un doux ronronnement. Aussitôt il eut conscience d'un changement. La méduse bougeait ! Il vit le cône translucide, avec son extrémité mauve, se mouvoir vers lui. Dessous, les tentacules dansaient lentement.

Alex avala une gorgée d'eau et s'aperçut qu'il avait ouvert la bouche pour crier. Nadia Rami avait vraisemblablement mis en marche le courant artificiel dans l'aquarium, et c'est ce qui avait fait bouger la méduse. Alex battit désespérément l'eau de ses jambes pour s'éloigner de l'animal en nageant sur le dos. Un tentacule s'allongea et lui saisit un pied. Sans ses tennis, il aurait été piqué. Les cellules urticantes pouvaient-elles traverser les vêtements ? Probablement. Ses tennis étaient son unique protection.

Il se réfugia dans un angle de l'aquarium et reprit son souffle, une main contre la vitre. Il savait que Nadia Rami avait raison. Si la méduse ne le tuait pas, il succomberait à la fatigue. Il lui fallait agiter les jambes en permanence pour demeurer à la surface, et la peur sapait ses forces.

La vitre. Était-il possible de la casser ? Peut-être y avait-il là un moyen... Il évalua la distance entre la méduse et lui, prit sa respiration, et plongea jusqu'au fond de l'aquarium. Nadia Rami l'observait. Elle n'était pour lui qu'une forme floue mais il était pour elle clair comme le cristal. Elle ne bougeait pas. Alex comprit avec effroi qu'elle s'attendait justement à le voir réagir ainsi.

Il nagea vers les rochers du fond et en chercha un petit. Les blocs étaient trop lourds. Il en trouva un de la taille de sa tête, mais il refusa de bouger. Nadia Rami n'avait pas cherché à l'en empêcher car elle savait qu'ils étaient scellés dans du ciment. Alex n'avait plus d'air dans les poumons. Il pivota pour se propulser vers la surface, et s'aperçut à la dernière seconde que la méduse s'était déplacée au-dessus de lui. Il cria. Des bulles s'échappèrent de sa bouche. Les tentacules étaient juste au-dessus de sa tête. Il se contorsionna et parvint à stopper sa montée et à s'esquiver sur le côté en battant frénétiquement des jambes. Son épaule heurta un rocher et la douleur se répercuta dans tout son corps. Se tenant l'épaule d'une main, il battit en retraite dans un autre angle et remonta à la surface en suffoquant.

Impossible de casser la vitre. Impossible de se hisser jusqu'au rebord. Impossible d'éviter éternellement le contact avec la méduse. Et les gadgets de Smithers qui étaient dans sa poche ne lui servaient à rien.

À moins que... le tube de crème, peut-être ? Il étendit un bras et tâta du doigt le côté de l'aquarium. Celui-ci était une merveille de technologie. Alex ignorait quelle pression l'eau exerçait sur les immenses parois de verre, mais l'ensemble était maintenu par une structure en acier qui s'ajustait sur les angles, à l'intérieur et à l'extérieur, et les cornières d'acier étaient fixées par des rivets.

Alex sortit le tube de sa poche : « Crème anti-acné, pour une peau saine ». Si Nadia Rami voyait ce qu'il faisait, elle devait le prendre pour un fou. La méduse se déplaça vers le fond de l'aquarium. Il attendit un moment, puis nagea vers l'avant et plongea pour la seconde fois.

La quantité de crème contenue dans le tube était dérisoire comparée à l'épaisseur des cornières d'acier et à la taille de l'aquarium, mais Alex se rappelait la démonstration de Smithers. Il suffisait de très peu de produit pour obtenir une efficacité maximum. Restait à savoir si la crème pouvait agir sous l'eau. Mais ce n'était plus le moment de s'en inquiéter. Il plaça le tube contre la cornière à l'avant de l'aquarium et fit de son mieux pour étaler un filament de crème sur toute la longueur, en se servant de son autre main pour en recouvrir les rivets. Puis, en battant des pieds, il se propulsa de l'autre côté. Il ne savait pas combien de temps elle mettrait pour agir. Nadia Rami se doutait que quelque chose se passait. Elle parlait au téléphone, peut-être pour demander de l'aide.

Alex avait utilisé la moitié du tube sur une cornière, il utilisa l'autre moitié sur la deuxième. La méduse évoluait au-dessus de lui et ses tentacules s'étiraient comme pour l'enlacer. Combien de temps était-il resté sous l'eau ? Son cœur lui martelait la poitrine. Et qu'arriverait-il quand le métal céderait ?

Il eut juste le temps de remonter pour respirer avant de le découvrir.

Même sous l'eau, la crème de Smithers avait rongé les rivets intérieurs. La vitre s'était détachée des cornières et, comme plus rien ne la retenait, la formidable pression de l'eau l'ouvrit comme une porte poussée par une violente bourrasque de vent. Alex ne vit rien. Il n'eut même pas le temps de réfléchir. Le monde se mit à tourbillonner et il se sentit emporté comme un bouchon de liège dans une cascade. Pendant quelques secondes ce ne fut plus qu'un maelström cauchemardesque d'eau déchaînée et de verre fracassé. Il n'osa même pas ouvrir les yeux. Il se sentit projeté en avant, heurta un obstacle, puis fut aspiré en arrière. Il avait la sensation d'être en mille morceaux. Il se débattit pour chercher de l'air. Sa tête émergea brutalement hors de l'eau et, quand il ouvrit la bouche, il fut étonné de pouvoir respirer.

L'avant de l'aquarium avait explosé et des milliers de litres d'eau s'étaient déversés dans le bureau de Herod Sayle. Le mobilier et les fenêtres avaient volé en éclats. L'eau continuait de s'écouler sur le sol. Le corps endolori, étourdi, Alex se releva. Il avait de l'eau jusqu'aux chevilles.

Où était la méduse ?

Par chance il n'avait pas été projeté contre elle pendant le brutal jaillissement d'eau, mais elle pouvait encore être dans les parages. Il restait suffisamment d'eau pour qu'elle s'approche de lui. Il recula dans un angle de la pièce. C'est alors qu'il la vit.

Nadia Rami avait eu moins de chance que lui. Comme elle se trouvait devant l'aquarium quand les cornières avaient cédé, elle n'avait pas eu le temps de s'éloigner. Elle gisait sur le dos, les jambes inertes, brisées. Et la galère portugaise la recouvrait. Nadia Rami semblait fixer Alex à travers la masse gélatineuse de la méduse. Ses lèvres jaunes étaient étirées sur un hurlement sans fin. Les tentacules l'enlaçaient, les centaines de cellules urticantes plaquées sur ses bras, ses jambes, sa poitrine. Saisi de nausée, Alex recula vers la porte et sortit dans le couloir.

Le signal d'alarme s'était déclenché. Il ne l'entendit qu'à ce moment-là, quand il recouvra l'ouïe et la vue. Le hurlement de la sirène l'arracha à son hébétement. Quelle heure était-il ? Bientôt onze heures. Au moins sa montre fonctionnait-elle encore. Mais il était en Cornouailles, à cinq heures de route de Londres, et avec l'alarme qui hurlait, les gardes armés et la clôture de barbelés, il n'avait aucune chance de fuir. Chercher un téléphone ? Inutile. Nadia Rami avait probablement dit la vérité en précisant que les lignes étaient codées. De toute façon, comment aurait-il pu contacter Alan Blunt ou Mme Jones à cette heure ? Ils devaient déjà se trouver au musée.

Il ne restait plus qu'une heure.

Dehors, couvrant le vacarme de la sirène, le garçon perçut un autre bruit. Le vrombissement d'un réacteur. Il s'approcha de la fenêtre la plus proche. Un avion cargo s'apprêtait à décoller.

Alex était trempé, couvert d'ecchymoses, et au

bord de l'épuisement. Mais il savait ce qu'il lui restait à faire.

Il fit volte-face et se mit à courir.

15

Onze heures

Alex se rua hors de la maison et s'arrêta pour évaluer la situation. L'alarme hurlait, des gardes accouraient vers lui, deux voitures fonçaient sur la route en direction de la maison. Il espérait seulement que, tout en sachant qu'il se passait quelque chose, les gardes ignoraient la cause du déclenchement de l'alarme. Normalement ils ne devaient pas le rechercher. Du moins pas encore. Cela lui laissait une petite marge de manœuvre.

Malheureusement il arrivait trop tard. L'hélicoptère privé était déjà parti. Seul un avion cargo était encore sur la piste. Si Alex voulait rejoindre le musée de la Science avant les cinquante-neuf minutes qui lui restaient, c'était sa seule chance. Mais le cargo manœuvrait déjà. Dans une ou deux minutes il aurait terminé les procédures préparatoires au décollage. Ensuite il prendrait son envol.

Alex regarda autour de lui et aperçut une Jeep militaire garée sur l'allée près de l'entrée. Un garde se tenait à côté, une cigarette à la main. L'homme cherchait à comprendre la raison de ce remue-ménage, mais il regardait dans la mauvaise direction. Excellent. Le garçon s'élança en courant sur les graviers. Au moment où il allait franchir la porte du bureau, il s'était muni d'une arme avant de quitter la maison : un des harpons de Sayle qui flottait à ses pieds. Il l'avait ramassé, bien décidé à avoir quelque chose pour se défendre en cas de besoin. Il lui aurait été facile de tirer sur le garde. Une flèche de harpon dans le dos, et la Jeep était à lui. Mais Alex s'en savait incapable. Quelles qu'aient été les intentions d'Alan Blunt le concernant, il se refusait à tuer de sang-froid. Pas pour son pays. Pas même pour sauver sa vie.

L'homme leva les yeux juste au moment où il approchait, et voulut sortir le revolver qu'il portait à la ceinture. Il n'en eut pas le temps. Alex se servit du manche du harpon pour lui assener un coup violent sous le menton. Le garde s'effondra et lâcha son arme. Le garçon s'en empara et sauta dans la Jeep. La clé était sur le contact. Il la tourna et le moteur démarra aussitôt. Il savait conduire. Encore une de ces choses que son oncle avait tenu à lui apprendre, dès qu'il avait eu les jambes assez longues pour atteindre les pédales. Les autres véhicules se rapprochaient. Sans doute les autres gardes

l'avaient-ils vu assommer leur collègue. L'avion se diri-
geait vers son point de départ.

Alex n'arriverait pas à le rejoindre à temps.

Peut-être est-ce l'imminence du danger qui aiguisa
ses sens. Peut-être le fait d'avoir déjà surmonté tant
d'épreuves. En tout cas il ne prit pas le temps de réfléchir. Il sut ce qu'il avait à faire comme s'il s'y était
entraîné une dizaine de fois. Et peut-être, en fin de
compte, son entraînement avait-il été plus efficace qu'il
ne le pensait.

Il sortit de sa poche le Yo-Yo de Smithers et le fixa à
une boucle métallique de sa ceinture. On aurait cru que
c'était fait pour. Ensuite, aussi vite qu'il le put, il attacha l'extrémité du fil de Nylon autour de la flèche du
harpon. Enfin il fourra le revolver dérobé au garde dans
la poche arrière de son pantalon de treillis. Il était prêt.

L'avion avait terminé ses manœuvres de pré-décol-
lage. Il faisait face à la piste. Ses réacteurs tournaient à
plein régime.

Alex passa une vitesse, desserra le frein à main de la
Jeep, et démarra en trombe dans l'herbe en direction
de la piste. Au même instant éclata une fusillade. Il se
coucha sur le volant et braqua à droite. Le rétroviseur
latéral explosa et une volée de balles perfora le pare-
brise et la portière. Deux voitures fonçaient dans sa
direction, face à lui. Dans chacune d'elles, un garde assis
à l'arrière se penchait par la fenêtre pour tirer. Alex braqua pour passer au milieu et, pendant une seconde
effrayante, il se trouva pris en sandwich entre les deux
véhicules, avec les gardes qui le mitraillaient à gauche

et à droite. Mais il réussit à passer. Il entendit un homme pousser un cri. L'un des conducteurs perdit le contrôle de sa Jeep, qui alla percuter la façade de la maison. L'autre freina de justesse et fit demi-tour.

L'avion avait commencé à rouler sur la piste. D'abord lentement, puis plus vite. Alex atteignit le tarmac et lui donna la chasse.

Son pied écrasa l'accélérateur. La Jeep roulait à cent à l'heure. Ce n'était pas assez vite. Pendant quelques secondes il se trouva parallèle à l'avion, à deux ou trois mètres à peine, mais déjà le cargo le distançait. D'une seconde à l'autre il serait en l'air.

Et, devant lui, la voie était bloquée. Deux autres Jeep arrivaient sur la piste. D'autres gardes armés de mitraillettes se penchaient, prêts à tirer. Alex se rendit compte que la seule raison pour laquelle ils ne tiraient pas était qu'ils craignaient de toucher l'avion. Mais celui-ci avait déjà quitté le sol. Juste devant lui, et sur sa gauche, il vit la roue avant se détacher de la piste. Il jeta un coup d'œil dans le rétroviseur. La voiture qui le pourchassait depuis la maison roulait sur ses traces. Il n'avait plus aucune échappatoire.

Une voiture derrière, deux Jeep devant, et l'avion, sur la gauche, qui prenait son envol.

Alex lâcha son volant, saisit le harpon, et tira. La flèche fila dans les airs. Le Yo-Yo attaché à sa ceinture déroula trente mètres de fil Nylon spécialement conçu. La tête de la flèche s'enfonça dans le ventre de l'avion et Alex fut arraché de la Jeep, avec l'impression d'être presque coupé en deux. En quelques secondes il se retrouva à quarante ou cinquante mètres au-dessus de la piste, suspendu sous l'avion. Sa Jeep se mit à faire de folles embardées. Les deux autres braquèrent pour l'éviter. En vain. Il y eut une triple collision. Suivie d'une explosion. Une boule de feu et un champignon de fumée grise suivirent Alex comme pour le rattraper. Puis il y eut une seconde explosion. La voiture avait tenté d'éviter les Jeep mais elle roulait trop vite. Elle fonça dans les épaves en flammes, fit un bond par-dessus, et poursuivit sa course sur la piste avant de s'embraser à son tour.

Alex ne vit pas grand-chose de la scène. Il était suspendu sous l'avion par un simple fil de Nylon et tournoyait sur lui-même. Le vent lui fouettait le visage et l'assourdissait. Il n'entendait même pas les réacteurs. Sa ceinture lui cisaillait la taille. Il avait du mal à respirer. Enfin il parvint à saisir le boîtier du Yo-Yo et trouva le bouton qu'il cherchait. Un simple petit bouton, et le puissant moteur commença à tourner et à rembobiner le fil de Nylon. Très lentement, centimètre par centimètre, Alex fut hissé vers l'avion.

Il avait visé avec soin. Il y avait une porte à l'arrière du cargo, et quand il arrêta le mécanisme d'enroulement du Yo-Yo, il se trouvait assez près pour atteindre la poignée de la porte. Évidemment il ignorait qui pilotait l'avion et quelle était sa destination. Le pilote avait probablement vu le désastre sur la piste, mais il n'avait certainement pas entendu le harpon se ficher dans l'appareil. Il ne pouvait pas savoir qu'il avait un passager clandestin.

L'ouverture de la porte se révéla plus difficile que prévu. Alex se balançait toujours sous le fuselage et, chaque fois qu'il allait saisir la poignée, le vent l'en écartait. Il voyait très mal. Le vent le faisait pleurer. Deux fois ses doigts l'effleurèrent, et deux fois il fut rejeté avant de pouvoir la tourner. La troisième fois, il parvint à l'empoigner, mais il lui fallut toutes ses forces pour l'abaisser.

Enfin la porte s'ouvrit et il put se hisser dans la soute. Il jeta un dernier coup d'œil en bas. La piste était déjà à trois cents mètres. Deux incendies faisaient rage, mais à cette distance ils ressemblaient à des allumettes embrasées. Alex détacha le Yo-Yo de sa ceinture. Puis il sortit le revolver de sa poche. L'avion était vide à l'exception de deux balluchons qu'il reconnut vaguement. Un seul homme pilotait l'appareil. Un des cadrans de contrôle avait dû lui signaler l'ouverture de la porte arrière car il tourna brusquement la tête. Alex se trouva nez à nez avec M. Rictus.

« Wouarrgh ! » éructa le majordome.

Alex leva son revolver. Il ne se sentait pas le courage de s'en servir, mais il ne voulait pas que M. Rictus s'en doute.

« Très bien, monsieur Rictus, cria-t-il pour se faire entendre malgré le vrombissement des réacteurs et le hurlement du vent. Vous ne pouvez pas parler, mais vous feriez bien d'écouter. Je veux que vous posiez cet avion à Londres. Nous allons au musée de la Science, à South Kensington. Ça ne nous prendra pas plus de trois quarts d'heure. Et si vous me jouez un tour, je vous abats. Vous comprenez ? »

M. Rictus garda le silence.

Alex tira une balle, qui s'écrasa dans le sol, juste à côté du majordome. Celui-ci regarda fixement le garçon et hocha la tête.

Il tendit les deux mains et tira sur le manche. L'avion vira sur le côté, cap à l'est.

16

Midi

Londres apparut. Soudain les nuages refluèrent et le soleil de midi fit jaillir la ville sous leurs yeux. La centrale électrique de Battersea se dressait fièrement, avec ses quatre grandes cheminées encore intactes, bien que la plus grande partie de son toit soit depuis longtemps érodée. Derrière, le parc de Battersea formait un carré vert et touffu d'arbres et de massifs qui résistait à la croissance urbaine. Au loin, la grande roue du millénaire s'élevait, telle une fabuleuse pièce d'argent en équilibre sur sa tranche. Et tout autour s'étalait Londres : tours et immeubles, rangées interminables de magasins et de maisons, rues, voies ferrées, ponts, tout cela séparé seulement par cette sorte de fissure argentée serpentant au milieu du paysage qu'était la Tamise.

Alex contempla la vue par la porte ouverte de l'avion,

l'estomac noué. Il avait eu cinquante minutes pour réfléchir à ce qu'il devait faire. Cinquante minutes pendant lesquelles l'avion cargo avait survolé la Cornouailles et le Devon, puis le Somerset et les prairies de Salisbury avant d'atteindre les Downs[1], puis Windsor et enfin Londres.

En montant dans l'avion, Alex avait eu l'intention d'utiliser la radio de bord pour appeler la police ou une autorité quelconque qui accepterait de l'écouter. Mais la présence de M. Rictus aux commandes l'avait fait changer d'avis. Il se souvenait de la rapidité de réaction du majordome quand il l'avait frappé dans le couloir devant sa chambre et quand il avait lancé le couteau dans le dossier de la chaise. Alex se savait relativement en sécurité dans la soute du cargo, tandis que M. Rictus restait sanglé sur son siège aux commandes de l'appareil. Mais il n'osait pas s'en approcher. Même en face d'un revolver, l'ancien lanceur de couteaux pouvait se révéler dangereux.

Alex avait aussi envisagé de le forcer à se poser sur l'aéroport de Heathrow. La radio s'était mise à grésiller quand ils étaient entrés dans l'espace aérien de Londres et M. Rictus avait coupé le son. Mais cela n'aurait jamais marché. Le temps d'y arriver, d'atterrir et d'arrêter l'avion, il aurait été trop tard.

Ensuite, en allant s'asseoir dans la soute, Alex avait vu les deux balluchons posés sur le sol et il avait pris sa décision.

---

1. Collines herbeuses du sud de l'Angleterre.

« Harrgh ! » dit M. Rictus.

Il tourna la tête et le garçon vit pour la dernière fois le rictus hideux que le couteau de cirque avait tracé sur ses joues.

« Merci pour la balade ! » cria-t-il.

Et il sauta dans le vide par la porte ouverte à l'arrière de l'avion.

Les balluchons étaient des parachutes. Alex les avait vérifiés et s'en était sanglé un sur le dos quand ils survolaient Reading. Il se félicitait d'avoir passé une journée d'entraînement de saut avec le S.A.S., mais ce second vol avait été nettement plus pénible que le précédent, au-dessus des vallées galloises. Cette fois, il n'y avait pas de sangle d'ouverture automatique du parachute, et personne pour lui assurer qu'il était correctement plié. S'il avait pu imaginer un autre moyen d'atteindre le musée de la Science dans les sept minutes qui lui restaient, il en aurait été ravi, mais il n'en existait pas d'autre. Alex le savait. Donc il devait sauter.

Une fois la porte franchie, il ne se sentit pas si mal. Il eut un instant de confusion et d'étourdissement quand le vent le frappa au visage. Il ferma les yeux et se força à compter jusqu'à trois. S'il l'ouvrait trop tôt, le parachute risquait de se déchirer sur la queue de l'avion. Il serra donc la poignée et, à trois, il la tira de toutes ses forces. Le parachute s'ouvrit comme une fleur au-dessus de sa tête et Alex ressentit une secousse brutale, ses aisselles et sa poitrine meurtries par le harnais.

Ils avaient volé à une altitude de quatre mille pieds[1]. Quand il rouvrit les yeux, il fut étonné par le sentiment de calme qu'il éprouva. Il se balançait doucement dans les airs sous une réconfortante corolle de soie blanche. Il avait la curieuse impression de ne pas bouger. Maintenant qu'il avait quitté l'avion, la ville lui paraissait plus lointaine et irréelle. Il n'y avait plus que lui, le ciel et Londres. Il ressentit presque du plaisir.

C'est alors qu'il entendit l'avion revenir.

Le cargo avait déjà parcouru deux kilomètres, mais il vira à droite et décrivit un arc de cercle serré. Les moteurs rugirent, puis il se stabilisa et arriva droit sur Alex. M. Rictus n'avait pas l'intention de le laisser filer aussi facilement. À mesure que l'avion se rapprochait, le garçon crut presque deviner l'éternel sourire du pilote derrière la vitre du cockpit. M. Rictus voulait manifestement le percuter en plein vol et le réduire en miettes.

Mais Alex avait anticipé la manœuvre.

Il abaissa une main et sortit la Game Boy de sa poche. Cette fois il n'y avait pas de cartouche de jeu à l'intérieur. Avant de sauter de l'avion, il avait déposé la cartouche Bombardier juste derrière le siège de M. Rictus.

Il pressa trois fois le bouton « Démarrer » de la Game Boy.

Dans l'avion, la cartouche explosa et libéra un nuage d'âcre fumée jaune qui envahit la soute, nappa les vitres, et s'échappa par la porte ouverte en laissant un sillage

---

1. Environ 1 392 m (1 pied = 0,3048 m).

jaune. M. Rictus disparut dans la fumée. L'avion oscilla, puis piqua vers le sol.

Alex assista au plongeon. Il imaginait le majordome, aveuglé par la fumée, bataillant pour garder le contrôle de l'appareil. L'avion commença à descendre en vrille, d'abord lentement, puis de plus en plus vite. Les moteurs émettaient une longue plainte stridente. Il fonçait droit vers le sol, déchirant le ciel de son hurlement, une fumée jaune dans son sillage. À la dernière minute, M. Rictus parvint à redresser le nez de l'appareil, mais il était trop tard. Il s'écrasa dans ce qui ressemblait à un secteur désert des docks, au bord du fleuve, et se désintégra dans une boule de feu.

Alex regarda sa montre. Midi moins trois minutes. Il était encore à mille pieds d'altitude et, à moins d'atterrir sur le seuil même du musée, il n'arriverait pas à temps. Il saisit les sangles du parachute et les manœuvra pour essayer d'accélérer sa descente.

Dans le hall est du musée de la Science, Herod Sayle achevait son discours. Le hall avait été transformé pour l'événement.

Le décor était un curieux mélange d'ancien et de moderne, avec ses colonnades de pierre et son sol d'acier, sa technologie dernier cri et ses antiques curiosités datant de la révolution industrielle.

Une estrade avait été dressée au centre pour Sayle, le Premier ministre et le ministre de l'Éducation nationale. Devant s'alignaient deux rangées de chaises, pour les journalistes, les enseignants, les invités. Alan Blunt était au premier rang, toujours aussi flegmatique. Mme Jones, vêtue de noir, le revers de sa veste orné d'une grosse broche, se tenait à côté de lui. De chaque côté de la salle, on avait érigé des tourelles pour les caméras de télévision, qui filmaient Herod Sayle en gros plan. Son discours était retransmis en direct dans toutes les écoles du pays et serait aussi diffusé au journal télévisé du soir. Deux ou trois cents autres personnes étaient agglutinées debout sur les galeries du premier et du second étage. Pendant que Sayle parlait, des magnétos l'enregistraient et les flashs des photographes crépitaient. Jamais auparavant une personne privée n'avait fait un don aussi généreux à la nation. C'était un événement. L'histoire en action.

« ... c'est le Premier ministre, et le Premier ministre seul, qui est responsable de ce qui va se passer, disait Sayle. Et j'espère que, ce soir, lorsqu'il réfléchira à ce qui s'est produit aujourd'hui à travers ce pays, il se souviendra du temps où nous allions ensemble à l'école et de ce qu'il faisait à cette époque. Je crois que, ce soir, toute la nation saura quel homme il est. Une chose est sûre. C'est un jour que personne n'oubliera. »

Sayle salua. Il y eut un tonnerre d'applaudissements. Le Premier ministre jeta un coup d'œil intrigué au porte-parole du gouvernement. Celui-ci haussa les épaules avec une grossièreté mal dissimulée. Le Premier ministre prit place à son tour devant le micro.

« Je ne sais pas très bien quoi répondre à cela », ironisa-t-il.

Et tous les journalistes éclatèrent de rire. Le gouvernement bénéficiait d'une telle majorité qu'ils pensaient de leur intérêt de rire des plaisanteries du Premier ministre.

« Je suis ravi que M. Sayle garde de si bons souvenirs du temps où nous allions à l'école ensemble, et je suis heureux que lui et moi, ensemble, aujourd'hui, puissions offrir un outil aussi vital à nos établissements scolaires. »

Herod Sayle désigna une table posée sur le côté de l'estrade. Là trônait un ordinateur Stormbreaker et, à côté du clavier, une souris.

« Voici la commande centrale, dit-il. Un clic de la souris, et tous les ordinateurs seront connectés.

— Très bien », dit le Premier ministre avec un sourire.

Celui-ci tendit l'index et ajusta sa position devant les caméras afin de présenter son meilleur profil. Quelque part à l'extérieur du musée, une cloche commença à sonner les douze coups de midi.

Alex entendit la cloche alors qu'il était à trois cents pieds de hauteur, et que le toit du musée se précipitait à sa rencontre.

Il avait localisé le bâtiment juste après le crash de l'avion. Le repérage n'avait pas été facile car la ville s'étalait sous lui comme un plan en trois dimensions. Mais, par chance, il avait toujours vécu dans l'ouest de Londres et très souvent visité le musée. D'abord il avait reconnu cette espèce de moule à gâteau qu'était le Royal

Albert Hall[1]. Juste au sud se dressait une petite tour blanche surmontée d'un dôme vert : le Collège impérial. À mesure qu'Alex descendait vers le sol, sa vitesse paraissait augmenter. La ville entière était devenue une sorte de gigantesque puzzle, dont il n'avait que quelques secondes pour assembler les pièces. Il vit un grand bâtiment aux formes extravagantes, avec des sortes de tours d'église et des fenêtres. Sans doute le musée d'Histoire Naturelle. Le musée d'Histoire naturelle se trouvait sur Cromwell Road. Comment allait-on de là au musée de la Science ? Ah oui, il fallait tourner à gauche au feu rouge d'Exhibition Road.

C'était là. Alex tira sur les sangles pour se diriger. Cela paraissait minuscule en comparaison des autres points de repère : un bâtiment rectangulaire avec un toit gris et plat qui s'élevait sur l'avenue. Une partie du toit se composait d'une série d'arches, semblables à celles que l'on peut voir dans une gare de chemin de fer ou dans une gigantesque serre. D'une couleur orange mat, les arches s'incurvaient l'une après l'autre. Elles semblaient en verre. Alex pourrait se poser sur la partie plate. Tout ce qu'il aurait à faire ensuite serait de regarder à travers les baies arrondies. Il pourrait se servir du revolver pour alerter le Premier ministre. Et, s'il le fallait, tirer sur Herod Sayle.

Alex parvint à manœuvrer le parachute et à l'amener au-dessus du musée. Mais c'est lorsqu'il entama les derniers deux cents pieds de la descente et qu'il entendit

---

1. Salle de théâtre londonienne.

la cloche sonner midi, qu'il se rendit compte de deux choses. D'abord il descendait trop vite. Ensuite il n'y avait pas de partie plate.

En réalité le musée possède deux toits. Le toit d'origine date de la fin du XVIIIᵉ siècle et est fait de verre armé. Mais des fuites ont dû se produire à l'époque moderne car les conservateurs du musée ont fait construire, par-dessus, un second toit en Plexiglas. Le toit orange aperçu par Alex.

Il le percuta à pieds joints. Le toit céda et il passa au travers. Alex se retrouva alors dans une sorte de sas, et manqua de peu un réseau de poutrelles en acier et d'échelles de maintenance. À peine eut-il le temps de voir ce qui ressemblait à une sorte de moquette marron étendue sur la surface courbe, qu'il la perfora à son tour. Ce n'était qu'une couche mince, destinée à filtrer la lumière et protéger le verre de la poussière. Alex poussa un cri et transperça la voûte de verre. Enfin le parachute s'accrocha à une poutrelle et il s'immobilisa brutalement, suspendu dans le vide au-dessus du hall est.

Et voilà ce qu'il découvrit.

Tout autour de lui, sur les galeries, trois cents personnes debout, qui s'étaient figées et levaient les yeux, bouche bée. Tout en bas, dans le hall, d'autres personnes, assises, dont certaines avaient été blessées par des éclats de verre. Une passerelle faite de dalles de verre de couleur verte s'étirait en travers de la salle. Il y avait un guichet d'information au design futuriste et, au centre, une estrade. Alex aperçut d'abord le Stormbreaker. Puis il reconnut le Premier ministre, debout, la bouche ouverte d'ahurissement, à côté de Herod Sayle.

Il se balançait dans le vide au bout de son parachute. Alors que les derniers débris de verre dégringolaient et se désintégraient sur le sol, les bruits et l'animation se réveillèrent dans la vaste salle.

Les hommes de la sécurité furent les premiers à réagir. Anonymes et invisibles quand il le fallait, ils surgirent soudain de partout, de derrière les colonnades, de sous les tourelles des caméras de télévision, courant sur la passerelle verte, une arme à la main. Alex avait lui aussi sorti son revolver. Peut-être pourrait-il expliquer la raison de sa présence avant que Sayle ou le Premier ministre active le Stormbreaker, néanmoins il en doutait. Tirer d'abord, poser des questions ensuite. C'était une réplique de mauvais film, mais les mauvais films disent parfois la vérité.

Alex vida son chargeur.

Les détonations firent un vacarme assourdissant. Les gens se mirent à hurler, les journalistes se bousculaient et se bagarraient pour se mettre à couvert. La première balle se perdit. La deuxième toucha le Premier ministre à la main, laquelle se trouvait à moins d'un centimètre de la souris de l'ordinateur. La troisième fit exploser la souris. La quatrième pulvérisa un cordon d'alimentation, provoquant un court-circuit. Sayle avait plongé en avant pour activer lui-même la souris. Les cinquième et sixième balles le touchèrent.

Dès qu'il eut tiré la dernière balle, Alex lâcha le revolver, qui se disloqua en percutant le sol, et leva les mains en l'air. Il se sentit ridicule, suspendu ainsi dans le vide, les jambes ballantes, les bras levés. Mais des dizaines de tireurs le visaient et il devait montrer qu'il n'avait plus d'arme, qu'ils n'avaient pas besoin de faire feu. Il se raidit, s'attendant à être mitraillé. Il imaginait son corps criblé de balles. Aux yeux de tous ces gardes du corps, il n'était qu'un terroriste fou qui était arrivé en parachute pour tuer le Premier ministre. C'était leur travail de l'éliminer. C'était pour cela qu'ils étaient entraînés.

Mais personne ne tira. Tous les hommes de la sécurité étaient équipés d'un casque radio, et c'était Mme Jones, postée au premier rang, qui leur donnait les ordres. Dès qu'elle avait reconnu Alex elle s'était mise à parler d'une voix pressante dans la grosse broche piquée dans son revers de veste :

« Ne tirez pas ! Je répète, ne tirez pas ! Attendez mon ordre ! »

Sur l'estrade, une volute de fumée grise sortait de l'arrière du Stormbreaker hors d'usage. Deux gardes du corps s'étaient jetés sur le Premier ministre, qui se tenait le poignet. Un filet de sang coulait le long de sa main. Les journalistes hurlaient des questions. Les flashs des photographes crépitaient, les cadreurs avaient braqué les caméras sur la petite silhouette qui se balançait au-dessus de leurs têtes. D'autres gardes, aux ordres de Mme Jones, s'étaient précipités pour bloquer les issues. Quant à M. Blunt, pour une fois, il s'était départi de son flegme.

Mais Herod Sayle avait disparu. Malgré les deux balles qu'il avait reçues, le patron de Sayle Entreprises avait réussi à s'enfuir.

17

Yassen

« Vous avez quelque peu gâché les choses en tirant sur le Premier ministre, dit Alan Blunt. Mais, dans l'ensemble, je dois vous féliciter. Non seulement vous avez répondu à nos attentes, mais vous les avez dépassées. »

La scène se déroulait en fin d'après-midi, le lendemain, dans le bureau de Blunt à la Banque Royale & Générale, sur Liverpool Street. Alex se demandait pourquoi, après tout ce qu'il avait fait pour le MI 6, le patron du service se croyait obligé d'imiter un directeur d'école de seconde zone lui remettant son bulletin scolaire. Mme Jones était assise à côté de lui. Alex avait refusé le bonbon à la menthe qu'elle lui avait proposé, même s'il pressentait que ce serait la seule récompense qu'il recevrait.

Depuis qu'il était entré dans le bureau, Mme Jones n'avait pas encore dit un mot.

« Vous aimeriez peut-être savoir comment s'est terminée l'opération de nettoyage, dit-elle.

— Oui, bien sûr.

— Tout d'abord, ne vous attendez pas à lire la vérité sur cette affaire dans les journaux. Nous l'avons classée secret-défense, ce qui signifie que la presse n'a pas le droit d'en parler. Évidemment la cérémonie du musée était diffusée en direct, mais heureusement nous avons pu couper la retransmission avant que les caméras ne fassent le point sur vous. En vérité, personne ne sait que c'est un garçon de quatorze ans qui a provoqué tout ce chaos.

— Et nous comptons préserver le secret, marmonna Alan Blunt.

— Pourquoi ? » demanda Alex, saisi d'un mauvais pressentiment.

Mme Jones ignora sa question.

« Les journaux étaient bien obligés d'imprimer quelque chose, bien sûr, poursuivit-elle. Nous leur avons donc concocté une petite histoire à notre façon, en déclarant que Sayle avait été attaqué par une organisation terroriste inconnue et qu'il avait dû se cacher.

— Où est-il ?

— Nous l'ignorons. Mais nous le trouverons. Il n'y a aucun endroit sur terre où il pourra nous échapper.

— Ah bon, dit Alex, sceptique.

— Pour ce qui est du Stormbreaker, nous avons déjà annoncé qu'il présente un dangereux défaut de fabrication et que toute personne voulant l'allumer risque d'être électrocutée. C'est très embarrassant pour le gouvernement, évidemment, mais nous allons retirer tous les ordinateurs du circuit et les récupérer. Par chance, Sayle était tellement fou qu'il les a programmés de façon à ce que le virus soit libéré uniquement par le Premier ministre au musée de la Science. Comme vous avez détruit la commande, même les écoles qui ont essayé de démarrer leur ordinateur n'ont pas été infectées.

— Il s'en est fallu de très peu, remarqua Blunt. Nous avons analysé des spécimens. Le virus est mortel. Pire même que ce que l'Irak préparait pendant la guerre du Golfe.

— Savez-vous qui l'a fourni à Sayle ? demanda Alex.

— Non, dit Blunt en toussotant.

— Le sous-marin que j'ai vu était chinois.

— Cela ne signifie pas grand-chose. »

Visiblement, il ne souhaitait pas parler de cela.

« Mais nous ferons les recherches nécessaires...

— Et Yassen Gregorovitch ? »

Mme Jones prit le relais pour répondre :

« Nous avons fermé l'usine de Port Tallon et arrêté la majorité du personnel. Malheureusement nous n'avons pas pu interroger Nadia Rami, ni l'homme que vous connaissez sous le nom de M. Rictus.

— De toute façon il ne parlait pas beaucoup.

— C'est une chance que son avion se soit écrasé dans un chantier de construction, reprit Mme Jones. Personne n'a été tué. Quant à Yassen, je suppose qu'il va disparaître. D'après ce que vous nous avez dit, il est clair qu'il ne travaillait pas directement pour Sayle, mais pour ses commanditaires, et je doute qu'ils soient très contents de lui. À l'heure actuelle, il est probablement déjà à l'autre bout du monde. Mais un jour, peut-être, nous le retrouverons. En tout cas nous ne cesserons pas de le rechercher. »

Il y eut un long silence. Apparemment les deux chefs de l'espionnage étaient assez satisfaits. Cependant il restait une question que personne n'avait abordée.

« Et moi ? demanda enfin Alex.

— Vous retournez au collège », répondit Blunt.

Mme Jones prit une enveloppe sur le bureau et la tendit au garçon.

« Un chèque ? demanda-t-il.

— Non. Une lettre d'un médecin expliquant que vous avez été malade pendant trois semaines. Si quelqu'un l'interroge, c'est un vrai médecin. Vous n'aurez aucun problème.

— Vous continuerez de vivre dans la maison de votre oncle, reprit Blunt. Et votre gouvernante, Jack je-ne-sais-plus-quoi, s'occupera de vous. Ainsi nous saurons où vous trouver si nous avons de nouveau besoin de vous. »

« De nouveau besoin de vous. » Ces mots glacèrent Alex plus que tout ce qu'il avait vécu au cours des trois dernières semaines.

« Vous plaisantez, je suppose.

— Pas du tout. Ce n'est pas mon habitude.

— Vous vous êtes très bien débrouillé, Alex, dit Mme Jones d'un ton qui se voulait conciliant. Le Premier ministre en personne nous a demandé de vous remercier. Et la vérité est qu'il nous serait extrêmement utile de pouvoir compter sur un garçon aussi jeune que vous...

— Et aussi talentueux..., intervint Blunt.

— ... qui nous viendrait en aide de temps en temps. »

Mme Jones leva la main pour couper court à toute protestation.

« Inutile d'en discuter maintenant. Mais, si une autre occasion se présente, nous ferons peut-être appel à vous.

— Ouais. Bien sûr. »

Alex regarda Blunt et Mme Jones. Ces gens-là n'étaient pas du genre à accepter un refus. À leur manière, ils étaient aussi charmants que M. Rictus.

« Je peux m'en aller, maintenant ?

— Certainement, répondit Mme Jones. Voulez-vous qu'une voiture vous reconduise chez vous ?

— Non merci, refusa Alex en se levant. Je trouverai mon chemin. »

Alex aurait dû avoir le cœur léger. Dans l'ascenseur qui le menait au rez-de-chaussée, il se dit qu'il avait sauvé des milliers de vies, qu'il avait vaincu Herod Sayle, et qu'il n'avait été ni tué ni même sérieusement blessé. Alors pourquoi se sentait-il si triste ? La réponse était simple. Blunt l'avait enrôlé de force. Finalement, la grande différence entre lui et James Bond n'était pas l'âge. C'était la loyauté. Autrefois les espions faisaient ce qu'ils faisaient parce qu'ils aimaient leur pays, parce qu'ils croyaient au bien-fondé de leur action. Mais lui, on ne lui avait pas demandé son avis. Aujourd'hui les espions n'étaient pas employés. Ils étaient utilisés.

Alex sortit de l'immeuble. Il avait l'intention de se rendre à pied à la station de métro mais, juste comme il arrivait sur le trottoir, un taxi passa. Il se sentit tout à coup trop fatigué pour prendre les transports en commun. Il héla le taxi et entrevit à peine le chauffeur penché sur son volant, vêtu d'un horrible gilet tricoté à la main.

« Cheyne Walk, à Chelsea », indiqua-t-il en se laissant choir sur la banquette arrière.

Le chauffeur se retourna vers lui. Il tenait un revolver à la main. Son visage était plus pâle que la dernière fois qu'Alex l'avait aperçu, et la douleur causée par les deux balles de revolver qu'il avait reçues se lisait sur ses traits. Cela paraissait impossible, pourtant c'était bien Herod Sayle.

« Si tu fais un geste, sale gosse, je te tue, siffla-t-il d'une voix venimeuse. Si tu tentes quoi que ce soit, je te tue. Ne bouge pas. Tu viens avec moi. »

Les portières se verrouillèrent automatiquement. Le taxi fit demi-tour et s'éloigna sur Liverpool Street en direction de la City[1].

Alex ne savait pas quoi faire. Il était certain que, de toute façon, Herod Sayle le tuerait. Sinon pourquoi aurait-il pris le risque insensé de venir rôder devant la porte du siège du MI 6 ? Il songea à essayer la fenêtre,

---

1. Quartier des affaires à Londres.

peut-être pourrait-il tenter d'attirer l'attention d'un conducteur à un feu rouge. Mais c'était inutile. Sayle le tuerait tout de suite. Il n'avait plus rien à perdre.

Ils roulèrent pendant une dizaine de minutes. On était samedi et la City était vide. La circulation était fluide. Sayle s'arrêta devant un gratte-ciel moderne, avec une façade en verre et une sculpture abstraite (deux noix en bronze gigantesques sur une dalle de ciment) devant l'entrée principale.

« Tu vas descendre de la voiture avec moi, ordonna Sayle. Toi et moi allons entrer dans cet immeuble. Si tu songes à t'enfuir, souviens-toi que ce revolver est pointé dans ton dos. »

Sayle descendit le premier, sans quitter Alex des yeux une seule seconde. Celui-ci devina que les deux balles avaient dû l'atteindre au bras et à l'épaule gauches. Sa main gauche pendait mollement le long de son flanc. Mais il tenait le revolver de la main droite, fermement, et braqué dans le dos d'Alex.

« Entre... »

Le gratte-ciel avait des portes battantes, qui étaient ouvertes. Alex déboucha dans un hall dallé de marbre, avec des canapés de cuir et un guichet d'accueil arrondi. Il n'y avait personne. D'un mouvement de revolver, Sayle lui ordonna de se diriger vers la rangée d'ascenseurs. L'un d'eux attendait. Ils entrèrent.

« Vingt-neuvième étage », commanda-t-il.

Alex pressa le bouton.

« On monte admirer le panorama ?

— Tu peux faire toutes les plaisanteries qui te chantent, dit Sayle. Mais c'est moi qui rirai le dernier. »

Le silence s'installa. Il sentit la pression dans ses oreilles à mesure que l'ascenseur montait. Sayle l'observait, adossé contre la porte. Alex songea à l'attaquer, en comptant sur l'effet de surprise. Non... Ils étaient trop près. Et l'homme était tendu comme un ressort.

L'ascenseur ralentit, puis les portes s'ouvrirent. Sayle pointa son revolver.

« Tourne à gauche. Tu verras une porte. Ouvre-la. »

Alex obéit. La porte était marquée : « Plate-forme hélico ». Une volée de marches montait. Il jeta un regard à Sayle qui hocha la tête.

« Monte. »

Les marches conduisaient à une autre porte munie d'une barre d'ouverture. Alex appuya dessus et poussa. Ils étaient au trentième étage, sur une terrasse dotée d'une antenne de radio et encerclée d'une haute clôture en métal. Une énorme croix était peinte en rouge au milieu. Quand il était sorti des bureaux du MI 6, il faisait beau, mais là-haut le vent soufflait et l'on voyait les nuages s'amonceler.

« Tu as tout gâché ! rugit soudain Sayle. Comment as-tu fait ? Comment m'as-tu piégé ? Jamais je ne me serais fait rouler par un homme. Il a fallu qu'ils m'envoient un gamin ! Un sale collégien de malheur ! Mais ce n'est pas terminé ! Je quitte l'Angleterre. Regarde... »

Sayle fit un mouvement de la tête. Alex se tourna et découvrit un hélicoptère dans les airs, immobile, derrière lui. D'où avait-il surgi ? C'était un modèle léger, rouge et jaune, avec un seul moteur, et un pilote casqué portant des lunettes noires. Un Colibri EC 120B, un des plus silencieux au monde. L'hélicoptère se mit à tourner autour d'eux.

« Voici mon ticket de sortie ! s'écria Sayle. Jamais ils ne me retrouveront. Un jour je reviendrai. Ce jour-là, tout se passera bien. Et tu ne seras pas là pour me mettre des bâtons dans les roues. Car c'est fini pour toi, Alex. C'est ici que tu vas mourir ! »

Alex ne pouvait rien faire. Sayle pointait son revolver sur lui, les yeux exorbités, les pupilles plus noires que jamais et réduites à des pointes d'épingle dans le blanc globuleux.

Deux détonations sèches claquèrent.

Alex baissa les yeux, s'attendant à voir du sang sur lui. Rien. Il ne sentit rien. Puis il vit Sayle tituber et basculer à la renverse, deux trous dans la poitrine.

L'hélicoptère se posa au centre de la croix. Yassen Gregorovitch en descendit.

Tenant le pistolet qui avait tué Herod Sayle, il s'approcha de sa victime pour l'examiner et la poussa du bout de sa chaussure. Satisfait, il hocha la tête et abaissa son arme. Derrière lui, les pales de l'hélicoptère ralentirent et s'immobilisèrent. Alex avança vers lui. Yassen Gregorovitch parut seulement remarquer sa présence.

« Vous êtes Yassen Gregorovitch », dit-il.

Le Russe acquiesça. Il était impossible de deviner ce qu'il avait en tête. Son regard bleu était impénétrable.

« Pourquoi avez-vous tué Sayle ?

— C'était mes instructions. »

Il n'avait pas une trace d'accent. Il s'exprimait d'une voix douce et raisonnable.

« Sayle était devenu encombrant. C'est mieux ainsi.

— Pas pour lui. »

Yassen haussa les épaules.

« Et moi ? » demanda Alex.

Le Russe l'examina des pieds à la tête comme pour le jauger.

« Je n'ai pas d'instructions à ton sujet.

— Vous allez me tuer aussi ?

— Pour quelle raison le ferais-je ? »

Il y eut un silence. Ils se regardèrent par-dessus le corps de Sayle.

« Vous avez tué Ian Rider, reprit Alex. C'était mon oncle.

— Je tue beaucoup de gens, dit Yassen avec un haussement d'épaules.

— Un jour c'est moi qui vous tuerai.

— Des tas de gens ont essayé, dit-il avec un sourire. Crois-moi, mieux vaudrait pour toi ne plus jamais me rencontrer. Retourne au collège. Retourne à ta vie. Et la prochaine fois qu'ils voudront te recruter, refuse. Tuer est une affaire d'adultes. Tu es encore un enfant. »

Yassen lui tourna le dos et remonta dans l'hélicoptère. Les pales se remirent à tourner et, quelques secondes plus tard, l'hélicoptère s'éleva dans les airs. Pendant un instant il resta à côté du gratte-ciel. Derrière la vitre, Yassen Gregorovitch leva une main. Un geste

d'amitié ? Un salut ? Alex leva lui aussi la main. L'hélicoptère s'éloigna.

Alex le suivit des yeux jusqu'à ce qu'il ait disparu
dans la lumière déclinante du soir.

À SUIVRE...
Les nouvelles aventures
d'Alex Rider dans *Pointe Blanche*

Alex a suivi les conseils de Yassen. Il est retourné au collège. Mais un jour, il n'a pas pu résister... Il a voulu faire justice lui-même. Après avoir triomphé d'Herod Sayle, ce n'était pas un petit dealer de quartier qui allait lui faire peur ! Mais cela n'a pas plu du tout à la police.

Le MI 6 l'a sorti de ce mauvais pas mais, en échange, il a été obligé d'accepter une nouvelle mission.

Cette fois, il s'agit de s'infiltrer dans un pensionnat hyper sélect pour fils de milliardaires, situé dans un château isolé, en plein cœur des Alpes françaises et appelé Pointe Blanche...

ANTHONY HOROWITZ

Né en 1957, Anthony Horowitz vit depuis
plusieurs années à Londres. Auteur de scripts
pour la télévision, il a aussi et surtout écrit des
romans pleins d'humour pour la jeunesse.
Dans le genre du policier comme dans celui
du fantastique, ses succès ne se comptent
plus. Plusieurs prix sont venus couronner son
œuvre, notamment le Prix Polar-Jeunes 1988
pour *Le Faucon malté*, le Prix européen du
Roman pour Enfants 1993 pour *L'île du crâne*
et le Grand Prix des Lecteurs *de Je Bouquine*
en 1994 pour *Devine qui vient tuer.*
Avec la série des aventures d'*Alex Rider*, il
réinvente avec brio le thriller d'espionnage
pour les jeunes.

TABLE